인생에 한 번은 스타트업
: 실전 창업 플레이북

최재현

인생에 한 번은 스타트업 : 실전 창업 플레이북

발행	2024년 3월 30일
저자	최재현
디자인	어비, 미드저니
편집	어비
펴낸이	송태민
펴낸곳	열린 인공지능
등록	2023.03.09(제2023-16호)
주소	서울특별시 영등포구 영등포로 112
전화	(0505)044-0088
이메일	book@uhbee.net

ISBN | 979-11-93116-80-7

www.OpenAIBooks.shop

인생에 한 번은 스타트업
: 실전 창업 플레이북

최재현

목차

머리말 : 왜? 인생에 한번은 스타트업 창업에 도전해야 하는가?

스타트업의 본질: 꿈과 현실의 교차점

스타트업은 단순히 새로운 사업을 시작하는 것을 넘어선, 꿈과 현실의 교차점입니다. 이는 창업가의 꿈, 열정, 창의력이 현실로 전환되는 과정으로, 경제적 이익을 넘어 자신만의 독특한 아이디어와 비전을 세상에 선보이는 것을 의미합니다. 스타트업 창업은 개인이 직면한 문제를 해결하고자 하는 욕구와 더 나은 세상을 만들고자 하는 열망에서 비롯됩니다. 이는 단순한 경제 활동을 넘어서, 자신의 존재와 가치를 세계에 표현하는 행위이며, 혁신과 변화의 중심에 서게 합니다.

스타트업은 기존의 사업 모델과 전략을 재해석하고, 기술과 혁신을 결합하여 새로운 가치를 창출하는 과정을 포함합니다. 그들은 보다 나은 미래를 향해 나아가는 비전을 가지고, 경제적, 사회적 가치를 모두 고려하는 새로운 방식의 기업입니다. 이러한 기업들은 고정된 규칙에 얽매이지 않고, 끊임없이 변화하고 적응하며, 창의적인 해결책을 모색합니다.

개인적 성장: 스타트업 창업의 여정

스타트업 창업은 개인적으로 매우 중요한 여정입니다. 창업가는 이 과정에서 자신의 한계를 시험하고, 새로운 기술과 지식을 습득하며, 실질적인 성취를 경험합니다. 이 여정은 창업가가 자신의 아이디어를 현실로 전환하고, 전문적 기술을 발전시키며, 자아실현을 하는 과정입니다. 창업 과정에서 얻는 경험은 창업가의 개인적, 전문적 성장을 촉진하며, 새로운 가능성을 탐색하게 합니다.

스타트업 창업은 다양한 분야에서 새로운 경험을 제공합니다. 창업가들은 시장 조사, 비즈니스 전략, 마케팅, 제품 개발 등 다양한 분야에서 경험을 쌓게 되며, 이러한 경험은 그들을 더 강력한 리더, 더 효율적인 문제 해결사, 그리고 더 창의적인 사상가로 성상하게 합니다. 이러한 과정은 창업가 개인뿐만 아니라, 그들이 속한 산업과 사회 전반에 긍정적인 영향을 미칩니다.

전문적 경력과 기술 습득의 장

스타트업 창업은 전문적 경력을 쌓고, 새로운 기술을 학습하며, 비즈니스 네트워크를 확장하는 데 있어서 탁월한 기회입니다. 창업가는 시장 조사, 비즈니스 전략, 마케팅, 제품 개발 등 다양한 분야에서 실무 경험을 쌓게 됩니다. 이러한 경험은 창업가에게만 국한되지 않고, 창업 과정에 참여하는 모든 이들에게 폭넓은 비즈니스 인사이트를 제공합니다. 또한, 창업은 새로운 관계를 형성하고, 다양한 이해관계자와 협력하는 기회를 제공합니다.

사회적 변화의 선구자: 스타트업

스타트업은 사회적 변화를 이끌어내는 중요한 동력입니다. 혁신적인 아이디어와 창의적인 접근은 사회에 긍정적인 영향을 미치며, 전통적인 산업을 혁신하고 새로운 시장을 창출합니다. 창업가들은 경제적 기여와 함께, 사회적 가치를 창출하며 지속 가능한 미래를 위한 발판을 마련합니다. 이들은 기존의 규범과 관행에 도전하며, 우리 사회와 삶의 방식을 개선하는 데 일조합니다.

인생의 전환점: 스타트업 창업

스타트업 창업은 인생에서 한 번쯤 도전해볼 가치가 있는 경험입니다. 개인적, 전문적 성장 뿐만 아니라 사회적 변화에 기여하는 이 여정은 삶에 깊은 의미와 가치를 부여합니다. 스타트업 창업은 단순한 사업 시작이 아니라, 자신의 삶을 새로운 방향으로 이끌 수 있는 강력한 수단입니다. 이 책은 여러분에게 스타트업 창업의 여정을 시작하는 데 필요한 실질적인 조언과 영감을 제공하고자 합니다. 스타트업 창업은 단순한 도전이 아니라, 삶을 변화시키는 모험입니다. 여러분의 성공적인 스타트업 창업 여정을 진심으로 응원하며, 이 책이 여러분의 창업에 있어 유용한 길잡이가 되기를 바랍니다.

저자 소개

최재현은 다양한 분야의 데이터를 탐구하여 분석한 후 자신의 인사이트를 다른 사람들에게 어떻게 전달할 것인지를 고민하는 데이터 전문가이다.

중소기업부터 대기업까지 다수의 산업군에 디지털전환 프로젝트를 진행하였다. 현재 데이터 분석 및 시각화 컨설팅, 메타버스와 인공지능 강의를 진행하고 있다.

또한 스타트업 창업 인스트럭터(Instructor)로 활동하며 중소 브랜드(Small Brand)의 사업 운영에 실질적인 도움을 줄 수 있는 지식을 나누고 있다.

01
스타트업의 기본 이해

스타트업(startup)은 혁신적인 제품이나 서비스를 개발하여 새로운 시장을 개척하고자 하는 기업을 말합니다. 일반적으로 설립한 지 얼마 되지 않은 신생 기업으로 여겨지지만, 기업의 규모나 설립 연도보다는 기업의 목적과 비즈니스 모델을 중심으로 정의하는 것이 더 타당합니다.

- 스타트업이란 무엇인가?

스타트업의 정의에 대한 다양한 관점과 출처를 바탕으로 다음과 같이 정리할 수 있습니다.

- **스티브 블랭크(Steve Blank)**는 스타트업을 "반복적이고 확장 가능한 비즈니스 모델을 찾아내기 위해 만들어진 조직"으로 정의했습니다.
- **에릭 리스(Eric Ries)**는 스타트업을 "극심한 불확실성 속에서 신규 제품/서비스를 만들고자 하는 조직"으로 정의했습니다.

- **벤처기업협회(Korea Venture Capital Association)**는 스타트업을 "개인 또는 소수의 창업인이 위험성은 크지만 성공할 경우 높은 기대수익이 예상되는 신기술과 아이디어를 기반으로 설립하여 고위험, 고수익, 고성장을 목표하는 기업 형태로서 일반적으로 벤처 캐피털이나 앤젤 투자 등으로부터 투자를 유치하여 성장하는 기업"으로 정의했습니다.

이러한 정의들을 종합해보면, 스타트업은 다음과 같은 특징을 가진다고 할 수 있습니다.

- 혁신적인 제품이나 서비스를 개발한다.
- 새로운 시장을 개척한다.
- 고위험, 고수익, 고성장을 목표로 한다.
- 벤처 캐피털이나 앤젤 투자 등의 외부 투자를 유치한다.

스타트업은 경제 발전과 사회 변화에 중요한 역할을 합니다. 혁신적인 제품과 서비스로 새로운 시장을 개척하고, 고용 창출과 경제 활성화에 기여합니다. 또한, 사회 문제 해결에도 기여할 수 있습니다.

스타트업은 혁신과 창의의 산실입니다. 기존의 방식을 혁신하거나 새로운 가치를 창출하는 제품이나 서비스를 통해 사회에 새로운 변화를 가져옵니다. 스타트업은 다음과 같은 측면에서 혁신과 창의의 산실이라고 할 수 있습니다.

- **새로운 시장의 개척**: 스타트업은 기존의 시장에서 해결되지 못한 문제를 해결하거나 새로운 가치를 제공함으로써 새로운 시장을 개척합니다. 예를 들어, 카카오는 기존의 메신저 시장을 혁신하여 모바일 메신저 시장을 개척했습니다.

- **새로운 기술의 개발**: 스타트업은 새로운 기술을 개발하여 기존의 산업에 새로운 변화를 가져옵니다. 예를 들어, 구글은 웹 검색 기술을 개발하여 인터넷 산업을 혁신했습니다.

- **새로운 비즈니스 모델의 창출**: 스타트업은 기존의 비즈니스 모델을 혁신하거나 새로운 비즈니스 모델을 창출하여 새로운 가치를 창출합니다. 예를 들어, 아마존은 온라인 쇼핑을 기반으로 새로운 비즈니스 모델을 창출하여 유통 산업을 혁신했습니다.

- 스타트업과 전통 비즈니스의 차이점

스타트업과 전통적인 비즈니스 모델은 여러 면에서 상당한 차이를 보입니다. 이러한 차이점을 이해하는 것은 스타트업의 독특한 역동성과 성공 전략을 파악하는 데 중요합니다.

첫째, 사업 모델과 성장 전략의 측면에서 스타트업과 전통 비즈니스는 크게 다릅니다. 스타트업은 혁신적인 아이디어나 기술을 기반으로 빠른 성장과 확장성을 추구하는 반면, 전통적인 비즈니스는 주로 안정성과 지속 가능한 성장을 중시합니다. 스타트업은 시장에서 빠르게 성장하고 규모의 경제를 달성하기 위해 자주 대담하고 위험을 감수하는 전략을 취합니다. 반면, 전통적인 비즈니스는 점진적이고 예측 가능한 성장 경로를 따르며, 위험을 최소화하려는 경향이 있습니다.

둘째, 자금 조달 방식에서도 차이가 있습니다. 스타트업은 주로 벤처 캐피탈, 엔젤 투자, 크라우드펀딩 등을 통해 자본을 조달하는 반면, 전통적인 비즈니스는 은행 대출, 개인 자본, 내부 현금 흐름 등 보다 전통적인 자금 조달 방법에 의존합니다. 스타트업의 자금 조달 방식은 대체로 더 공격적이며, 빠른 성장을 위한 상당한 자본이 필요합니다.

셋째, 시장 접근 방식과 위험 관리에서 스타트업은 전통적인 비즈니스와 다른 경로를 따릅니다. 스타트업은 종종 시장에 빠르게 진입하여 빠른 변화와 혁신을 추구하는 반면, 전통적인 비즈니스는 보다 안정적이고 장기적인 관점에서 시장 전략을 수립합니다. 이는 스타트업이 더 높은 수준의 시장 불확실성과 위험을 감수하는 경향이 있다는 것을 의미하며, 이는 동시에 높은 수익 잠재력을 가지고 있습니다.

넷째, 기업 문화와 운영 구조에서 스타트업은 종종 혁신적이고 유연한 조직 문화를 가지며, 빠른 의사결정과 적응력을 중시합니다. 반면, 전통적인 비즈니스는 보다 계층적이고 공식적인 조직 구조와 고정된 업무 방식을 따르는 경향이 있습니다. 스타트업의 조직 문화는 창의적인 아이디어와 실험을 장려하며, 이는 새로운 혁신을 빠르게 시장에 도입하는 데 도움이 됩니다.

이러한 차이점들은 스타트업이 전통적인 비즈니스와 구별되는 독특한 경로를 따른다는 것을 보여줍니다. 스타트업은 빠른 성장, 혁신, 그리고 유연성을 추구하며, 이를 통해 새로운 시장을 개척하고 기존 산업에 새로운 변화를 가져옵니다. 반면, 전통적인 비즈니스는 안정성, 점진적인 성장, 그리고 예측 가능한 시장 전략에 중점을 둡니다. 이러한 이해는 스타트업 창업가들이 자신의 사업을 구축하고 성장시키는 데 있어 중요한 통찰력을 제공합니다.

특성	스타트업	전통적 비즈니스
사업 모델	혁신적이고 기술 중심적, 빠른 성장 추구	안정성과 점진적 성장 중시
성장 전략	빠른 시장 확장, 규모의 경제 추구	지속적 수익 창출, 장기 고객 관계 구축 중시
자금조달방식	벤처 캐피탈, 엔젤 투자, 크라우드펀딩 등 다양한 방법	은행 대출, 개인 자본, 내부 현금 흐름 등 전통적 방법
시장 접근	혁신적 아이디어를 빠르게 시장에 도입, 높은 위험 감수	안정적이고 예측 가능한 시장 전략 수립
기업 문화	혁신적이고 유연한 조직 문화, 빠른 의사결정 중시	계층적이고 공식적인 조직 구조, 고정된 업무 방식

[표] 스타트업과 전통적 비즈니스의 차이 비교

- 스타트업 생태계와 역할

스타트업 생태계는 창업과 성장을 위한 다양한 요소가 상호 작용하는 복잡한 네트워크입니다. 이 생태계의 주요 구성원은 창업가, 투자자, 멘토, 인큐베이터 및 액셀러레이터, 그리고 종종 정부 기관과 대학과 같은 교육 및 연구 기관이 포함됩니다.

창업가: 스타트업 생태계의 핵심은 창업가입니다. 이들은 혁신적인 아이디어를 비즈니스로 전환하고, 시장 기회를 식별하여 가치를 창출합니다. 예를 들어, 마크 저커버그는 Facebook을 창립하여 소셜 미디어 산업을 혁신적으로 변화시켰습니다. 김범수는 카카오톡을 개발하여 소셜 미디어와 모바일 커뮤니케이션 분야에서 혁신을 이루었습니다.

투자자: 벤처 캐피탈리스트, 엔젤 투자자, 크라우드펀딩 플랫폼 등이 포함되며, 이들은 스타트업에 필요한 자본을 제공합니다. 예를 들어, 실리콘 밸리의 Sequoia Capital은 Apple, Google, Airbnb 등 수많은 성공적인 스타트업에 초기 자본을 투자했습니다.

멘토 및 어드바이저: 경험 많은 비즈니스 리더, 산업 전문가들이 창업가들에게 조언을 제공합니다. 이들은 비즈니스 전략, 시장 진입, 네트워킹 등 다양한 분야에서 지원을 제공합니다.

인큐베이터 및 액셀러레이터: 이들 기관은 스타트업에게 필요한 자원, 네트워킹 기회, 교육 프로그램을 제공합니다. 예를 들어, Y Combinator는 초기 단계 스타트업에게 자금, 멘토링 및 다른 자원을 제공하여 그들의 성장을 돕습니다. 서울의 마루180, 디캠프와 같은 인큐베이터 및 액셀러레이터가 활발하게 운영되며, 이들은 스타트업의 초기 성장을 촉진합니다.

정부 및 대학: 많은 국가에서 정부는 창업과 혁신을 촉진하기 위해 정책, 자금, 인프라를 제공합니다. 대학들은 연구 및 기술 개발을 통해 스타트업에 혁신적인 아이디어와 기술을 제공합니다. 예를 들어, 스탠퍼드 대학교는 실리콘 밸리의 많은 스타트업에 영감과 인재를 제공한 것으로 유명합니다. 서울대학교와 카이스트와 같은 대학들은 스타트업에 필요한 연구 자원과 인재를 공급하는 중요한 역할을 합니다.

이러한 생태계 내에서 스타트업은 혁신적인 아이디어를 시장에 선보이고, 비즈니스 모델을 검증하며, 필요한 자본과 지원을 받아 성장합니다. 이 과정에서 스타트업은 새로운 기술과 서비스를 개발하고, 경제에 새로운 동력을 제공하며, 사회적 변화를 이끄는 중요한 역할을 수행합니다.

- 글로벌 스타트업 생태계의 이해

글로벌 스타트업 생태계는 현대 비즈니스 환경에서 혁신의 중심지로 떠오르고 있는 형태의 복합적인 생태계를 상징합니다. 이러한 생태계는 빠르게 진화하며 다양한 기술, 비즈니스 모델, 자금 조달 방식, 그리고 문화적 요소들이 결합하여 새로운 경제와 기술 혁신의 원동력이 되고 있습니다.

첫째, 글로벌 스타트업 생태계는 지역, 국가, 대륙을 넘어서 글로벌 시장을 타겟으로 하는 기업들의 네트워크로 구성되어 있습니다. 이들 스타트업은 혁신적인 기술과 창의적인 비즈니스 모델을 활용하여 경쟁력을 확보하고 세계 각지의 고객에게 서비스를 제공합니다. 이러한 글로벌 시각은 전례 없는 기회와 도전을 제시하며, 경제적 경계를 초월하는 협력과 경쟁을 통해 새로운 경제 질서를 형성하고 있습니다.

둘째, 자금 조달은 스타트업 생태계에서 핵심적인 요소 중 하나입니다. 초기에는 엔젤 투자자와 벤처 캐피탈로부터 자금을 조달하며, 성장과 규모 확장을 위해 더 많은 자금을 모으려고 노력합니다. 이를 위해 크라우드펀딩, IPO(공개 기업화), 스팩(특수목적 인수회사) 등의 다양한 자금 조달 방식을 고려하며, 이는 스타트업 기업들이 전략적으로 자원을 확보하고 글로벌 시장에 진출하는 핵심적인 단계입니다.

셋째, 스타트업 생태계의 성공을 위해 다양한 지원 시스템이 존재합니다. 엑셀러레이터와 인큐베이터 프로그램은 스타트업 기업들에게 자금, 교육, 멘토링, 공간 등을 제공하여 초기 단계에서의 어려움을 극복하도록 도와줍니다. 이러한 프로그

램들은 아이디어와 비전을 가진 기업가들에게 필요한 지원을 제공하며, 이를 통해 스타트업 생태계가 다양한 분야에서 혁신을 주도하고 있습니다.

넷째, 글로벌 스타트업 생태계는 경쟁과 협력의 장이기도 합니다. 경쟁은 혁신을 촉진하고, 협력은 지식 공유와 혁신의 가속화를 도모합니다. 스타트업 기업들은 다른 스타트업이나 기존 기업들과 협력하여 새로운 비즈니스 모델을 개발하고 글로벌 시장을 공략합니다. 이러한 협력은 생태계 전체의 성장을 촉진하며, 새로운 비즈니스 기회를 창출하는데 기여합니다.

마지막으로, 스타트업 생태계의 성공은 정부, 대학, 연구소, 기업, 투자자, 그리고 지역 커뮤니티와의 협력에 의해 이루어집니다. 이러한 다양한 이해관계자들이 스타트업 기업들을 지원하고, 지식과 자원을 제공하여 혁신과 경제 성장을 촉진합니다. 그 결과로 글로벌 스타트업 생태계는 미래 비즈니스의 주요 트렌드와 방향을 제시하는 중요한 요소 중 하나로 간주됩니다. 이 생태계는 현재와 미래의 경제 생태계를 재구성하는 중요한 역할을 하며, 지속적인 혁신과 발전을 통해 글로벌 경제에 영향을 미치고 있습니다.

- 스타트업의 사회적, 경제적 영향

스타트업은 현대 사회와 경제에 지속적으로 확대되고 깊은 영향을 미치며, 그 중요성은 점차 커지고 있습니다. 이러한 영향은 다양한 측면에서 나타나며, 현대 비즈니스 환경에서의 스타트업의 역할은 점차 중요해지고 있습니다.

먼저, 스타트업은 기술 혁신의 주요 주역으로 자리매김니다. 새로운 기술을 개발하고 이를 기반으로 혁신적인 제품과 서비스를 제공함으로써 기존 산업을 변화시키고 새로운 경제 가치를 창출합니다. 이러한 혁신은 기술의 발전과 디지털화의 가속화로 더욱 중요한 역할을 하고 있으며, 다양한 산업과 부문에 파급 효과를 미치고 있습니다.

둘째, 스타트업은 창업 문화와 기업가 정신을 촉진합니다. 스타트업 기업가들은 독립적인 사고와 창의적인 접근 방식을 가지며, 기존의 규칙과 관행을 도전하고자 합니다. 이러한 기업가 정신은 기존 기업들에게도 영감을 주고, 창업을 고려하는 많은 사람들에게 새로운 기회를 제공합니다. 이는 더 많은 비즈니스 아이디어와 혁신을 유발하고, 경제 다각화와 경쟁력을 강화하는데 도움이 됩니다.

셋째, 스타트업은 사회적 문제 해결에 기여합니다. 많은 스타트업 기업들은 사회적, 환경적 문제에 대한 혁신적인 해결책을 제공하고 있습니다. 친환경 기술 및 서비스 제공업체는 환경 보호에 기여하며, 사회 기부 및 복지 프로그램을 운영하는 기업들은 사회적 문제 해결을 촉진합니다. 이러한 스타트업 기업들은 사회적 가치 창출과 지속 가능한 발전을 추진하며, 사회에 긍정적인 영향을 미칩니다.

넷째, 스타트업 생태계는 지역 경제에도 긍정적인 영향을 미칩니다. 스타트업 허브와 인큐베이터는 지역 커뮤니티와 협력하여 지역 경제를 활성화시키고, 고용 기회를 제공합니다. 이는 지역 커뮤니티의 경제 다각화와 지역 사회의 발전에 기여하며, 지역 생태계를 활성화시키는 역할을 합니다. 또한, 스타트업 기업들이 지역 커뮤니티와 협력하면서 지역 문제에 대한 혁신적인 접근 방식을 찾을 수 있습니다.

그러므로, 스타트업이 사회와 경제에 미치는 긍정적인 영향은 현대 사회에서 무시할 수 없는 중요한 역할을 하고 있습니다. 이러한 성과들을 보면, 우리도 한번쯤은 스타트업 창업에 도전하고, 기술과 혁신을 통해 새로운 아이디어와 서비스를 세상에 내놓아야 한다는 메세지가 더욱 강조되고 있습니다. 스타트업 창업은 도전과 실패가 함께하는 여정이지만, 그 과정에서 새로운 경험과 학습이 가득하며, 사회적, 경제적 가치를 창출할 수 있는 기회를 제공합니다. 스타트업은 혁신의 공간이며, 이를 통해 우리는 새로운 가능성을 탐색하고 인생의 다음 장을 쓸 수 있는 기회를 만들어내는 것입니다. 스타트업은 미래를 형성하고 사회와 경제를 발전시키는 과정에서 우리가 적극적으로 참여해야 할 중요한 역할을 하고 있으며, 이는 우리 개개인에게도 기회와 열정을 부여하고 있습니다. 그러므로, 우리 모두는 스타트업 창업에 대한 도전을 고민하고, 혁신적인 아이디어를 현실로 만들어 사회와 경제에 긍정적인 영향을 미치는 데 기여해야 합니다. 스타트업은 현대 사회의 엔진이며, 이를 통해 우리는 미래를 함께 형성하는 데 중요한 역할을 할 수 있습니다.

[그림] DALL-E, Prompt : An isometric illustration of a startup ecosystem with more open space and less density. The scene includes elements like small office buildings, coworking spaces, and cafes, but with more spacing between them. There are diverse groups of people, some brainstorming in less crowded meeting areas, others working on laptops or having conversations in more open, relaxed settings. The setting includes ample green spaces with trees, benches, and wider paths connecting the different areas. The overall feel is more spacious and less crowded, with a vibrant and modern color scheme.

02
아이디어 발굴

스타트업 창업의 여정은 강력한 아이디어에서 시작됩니다. 이 장에서는 스타트업 창업자들이 어떻게 창의적이고 혁신적인 아이디어를 발굴하는지에 대해 탐구합니다. 이 과정은 단순히 좋은 생각을 갖는 것 이상의 의미를 지니며, 창업자의 사고방식, 팀워크, 그리고 시장에 대한 깊은 이해를 필요로 합니다.

- 창의적 아이디어 발굴

창의적 아이디어 발굴은 스타트업의 성공 여정에서 필수적인 과정입니다. 이는 단순히 무언가 새로운 것을 생각하는 것 이상의 의미를 지니며, 기존의 관념과 접근 방식에서 벗어난 혁신적인 생각을 포함합니다. 이러한 아이디어는 스타트업에 새로운 가능성을 열어주고, 시장에서 독특한 위치를 창출하는 데 핵심적인 역할을 합니다. 본 장에서는 이러한 창의적 아이디어가 왜 중요한지, 그리고 어떻게 효과적으로 발굴할 수 있는지에 대해 깊이 있게 탐구합니다.

창의적 아이디어의 중요성

창의적 아이디어는 스타트업이 경쟁 우위를 확보하고, 시장에서 성공적으로 자리 잡는 데 결정적인 역할을 합니다. 이는 기존의 문제를 새롭고 효율적인 방식으로 해결할 수 있는 기회를 제공하며, 고객에게 새로운 가치를 제공하는 원동력이 됩니다. 또한, 창의적 아이디어는 스타트업이 지속 가능한 비즈니스 모델을 구축하고, 시장의 변화에 유연하게 대응할 수 있도록 합니다.

창의적 사고의 촉진

창의적 사고를 촉진하기 위해서는 적절한 환경 조성이 필수적입니다. 이는 자유롭고 개방적인 분위기를 통해 실패에 대한 두려움 없이 아이디어를 자유롭게 표현할 수 있는 문화에서 비롯됩니다. 팀 내의 다양한 관점과 전문성을 활용하는 것도 중요합니다. 서로 다른 배경과 경험을 가진 팀원들이 협력함으로써, 다양한 아이디어와 해결책이 도출될 수 있습니다.

주요 아이디어 발굴 기법

창업 아이디어의 주요 발굴 기법과 각 기법별 대표적인 사례를 다음과 같이 정리해봅니다.

발굴기법	설명	사례
브레인스토밍	자유로운 사고를 촉진하며, 참가자들이 제약 없이 아이디어를 공유하고 확장합니다. 개인적인 비판이나 평가는 배제하고, 가능한 많은 아이디어를 생성하는 데 초점을 맞춥니다.	대한민국의 e-커머스 스타트업 **쿠팡**은 브레인스토밍을 통해 혁신적인 '로켓 배송' 서비스를 개발했습니다. 이는 한국의 온라인 쇼핑 경험을 크게 변화시켰습니다.
마인드 매핑	중심 아이디어에서 시작해 관련된 아이디어를 시각적으로 확장합니다. 복잡한 아이디어를 구조화하고, 서로 다른 개념 간의 연결을 명확하게 합니다.	**Naver**는 마인드 매핑을 활용하여 다양한 온라인 서비스와 기능을 개발했습니다. 이는 Naver가 단순한 검색 엔진을 넘어 다양한 정보와 서비스를 제공하는 플랫폼으로 성장하는 데 중요한 역할을 했습니다.
SCAMPER	기존 제품이나 서비스를 새롭게 변형시키는 일련의 질문을 통해 새로운 아이디어를	배달의민족을 운영하는 **우아한형제**는 SCAMPER 기법을 활용하여 전통적인

	도출합니다. 대체, 결합, 적용, 수정, 용도 변경, 제거, 역방향 등의 원칙을 사용합니다.	음식 배달 서비스를 혁신적으로 변형시켰습니다. 이를 통해 사용자 경험을 개선하고 시장에서 독특한 위치를 확보했습니다.
트렌드 분석	시장의 최신 동향과 소비자의 변화하는 요구를 분석하여 새로운 비즈니스 기회를 찾습니다.	**카카오**는 트렌드 분석을 통해 메시징 앱인 카카오톡을 개발하고, 이를 기반으로 다양한 모바일 서비스를 확장했습니다. 이는 한국의 모바일 커뮤니케이션과 서비스 산업에 혁신을 가져왔습니다.
고객 피드백	고객의 의견과 피드백을 수집하고 분석하여 제품이나 서비스를 개선하고 새로운 아이디어를 창출합니다.	신선한 식품 배송 서비스를 제공하는 **마켓컬리**는 지속적인 고객 피드백을 통해 서비스를 개선하고, 맞춤형 식품 배달 모델을 개발했습니다. 이는 한국의 온라인 식품 시장에서 큰 성공을 거두었습니다.

- 아이디어 발굴의 중요성

창업의 세계에서 아이디어는 단순한 생각을 넘어서는 중대한 가치를 지닙니다. 이는 스타트업의 기초이자, 그 성공의 주춧돌입니다. 아이디어는 혁신의 씨앗이며, 시장에서의 차별화를 이끄는 핵심입니다. 창업자들에게 있어 아이디어는 단순히 사업을 시작하는 단계가 아니라, 그들의 비전과 사명을 현실로 전환하는 과정입니다. 이러한 아이디어의 중요성을 인식하는 것은 스타트업 창업의 첫걸음입니다.

문제의 식별

모든 혁신적인 아이디어는 근본적인 문제의 식별에서 시작됩니다. 창업자는 시장에서의 불편함, 미충족된 필요, 또는 비효율적인 프로세스를 파악해야 합니다. 이러한 문제의 식별은 관찰, 시장 조사, 그리고 고객 피드백을 통해 이루어집니다. 이 과정에서 발견된 문제는 창업 아이디어의 원동력이 되며, 시장에서의 기회를 포착하는 기준점이 됩니다.

차별화된 솔루션

문제를 파악한 후, 창업자는 이를 해결할 수 있는 차별화된 방법을 모색해야 합니다. 이는 기존의 해결책을 개선하거나, 전혀 새로운 접근 방식을 채택할 수 있습니다. 중요한 것은 창업 아이디어가 시장에서 독특한 가치를 제공하고, 실제로 실행 가능해야 한다는 점입니다. 창의적이고 혁신적인 해결책은 스타트업을 경쟁사와 차별화하고, 성공으로 이끄는 핵심 요소입니다.

토스(TOSS)의 혁신적 접근 사례

토스는 간편 송금 모바일 앱으로, 한국의 금융 시장에서 큰 성공을 거두었습니다. 토스의 창업팀은 기존 금융 서비스가 사용자에게 복잡하고 불편하다는 점을 파악했습니다. 이들은 3개월간의 고객 관찰을 통해 이러한 문제점을 심도 있게 분석했습니다. 이 과정에서 토스는 사용자 친화적인 인터페이스와 손쉬운 송금 방법을 도입하여 금융 서비스를 혁신적으로 재구성했습니다. 이 사례는 시장의 불편함을 파악하고, 이를 해결하는 혁신적인 방법으로 아이디어를 발굴하는 방법을 보여줍니다.

아이디어 발굴은 스타트업 창업 과정의 시작일 뿐만 아니라, 사업이 성장하고 진화하는 과정에서 지속적으로 필요합니다. 시장은 끊임없이 변화하며 새로운 기회와 도전이 생겨납니다. 창업자들은 이러한 변화에 맞춰 지속적으로 새로운 아이디어를 탐색하고 발전시켜야 합니다. 이는 비즈니스의 지속적인 성장과 혁신을 위한 필수적인 과정입니다. 따라서, 창의적인 아이디어 발굴은 스타트업의 성공 여정에서 중단 없이 지속되어야 하는 핵심 활동입니다.

- 창의적 사고와 혁신적 아이디어 찾기

창의적 사고는 스타트업 창업에서 가장 중요한 요소 중 하나입니다. 이는 단순히 새로운 아이디어를 생각해내는 것을 넘어서, 기존의 문제에 대해 전혀 다른 방식으로 접근하고 해결하는 능력을 말합니다. 혁신적인 아이디어를 찾는 과정은 일반적인 사고의 틀을 벗어나, 기존의 관점이나 해결 방식에 의문을 제기하고 새로운 가능성을 탐색하는 것을 포함합니다.

6하 원칙 (5W1H)

6하 원칙은 누가(Who), 무엇을(What), 어디서(Where), 언제(When), 왜(Why), 어떻게(How)의 질문을 통해 문제를 구조적으로 분석하는 기법입니다. 이 기법은 문제를 다각도에서 바라보고, 그 해결책을 찾는 데 중요한 도구입니다. 예를 들어, 기존의 제품이나 서비스에서 누가 가장 큰 불편함을 겪고 있는지, 무엇이 그 원인인지, 어디서 이 문제가 발생하는지 등을 분석함으로써, 창업자는 보다 구체적이고 창의적인 해결책을 도출할 수 있습니다.

5-WHY 방법

5-WHY 방법은 문제의 근본 원인을 파악하기 위해 연속적으로 '왜?'라는 질문을 하는 기법입니다. 이는 표면적인 문제가 아니라 그 근본적인 원인을 밝혀내는 데 중점을 둡니다. 예

를 들어, 고객이 특정 제품을 구매하지 않는 이유를 파악하기 위해 '왜'라는 질문을 여러 번 반복함으로써, 그 이면에 있는 심층적인 문제점을 발견할 수 있습니다. 이 과정을 통해 창업자는 보다 근본적이고 효과적인 해결책을 찾을 수 있습니다.

사례 : 마이리얼트립 5Why

- (Why 1) **패키지 투어가 왜 불편한가? ➔** 강제쇼핑, 옵션관광, 개인 취향 반영 불가, 수박 겉핥기
- (Why 2) **강제쇼핑, 옵션 관광을 왜 하는가? ➔** 현지 가이드가 강요하기 때문에
- (Why 3) **현지 가이드는 왜 강요하는가? ➔** 강제쇼핑, 옵션관광을 하면 쇼핑/관광업체로부터 커미션을 받기 위해서
- (Why 4) **쇼핑/관광 업체로부터 왜 커미션을 받고 있는가? ➔** 여행업체에서 주는 급여가 너무 적기 때문에
- (Why 5) **여행 업체에서 주는 급여는 왜 적은가? ➔** 여행 업체들이 하청 업체들에게 계속 마진을 남기고 넘기기 때문에
- 결론 : <u>현지 가이드와 여행자를 직접 연결해서 현지 가이드가 많은 돈을 받도록 함</u>

창의적 사고는 이론적인 개념을 넘어서 실제 비즈니스 상황에서 중요한 결과를 가져올 수 있습니다. 실제로 많은 혁신

적인 스타트업들은 창의적 사고 기법을 적용하여 시장에서 독특한 위치를 확보하고 성공을 거두었습니다. 예를 들어, 특정 산업 분야에서 전통적인 문제를 새로운 방식으로 해결한 스타트업들(에어비앤비, 우버 등)은 시장의 주목을 받고 빠르게 성장하였습니다. 이러한 사례들은 창의적 사고가 어떻게 현실 세계의 문제 해결에 직접적으로 기여할 수 있는지 보여줍니다.

창의적 사고는 지속적인 노력과 연습을 통해 개발될 수 있습니다. 창업자들은 자신의 사고 방식을 지속적으로 도전하고 확장함으로써 새로운 아이디어와 접근 방식을 발굴할 수 있습니다. 이는 시장의 변화에 능동적으로 대응하고 지속 가능한 혁신을 이루는 데 필수적입니다.

창의적 사고는 스타트업이 시장에서 독특한 위치를 확보하고 지속 가능한 성장을 이루는 데 핵심적인 역할을 합니다. 혁신적인 아이디어는 비즈니스 모델을 혁신하고, 새로운 시장을 창출하며, 경쟁 우위를 제공합니다. 따라서, 창업자들은 창의적 사고를 촉진하고 지속적으로 혁신적인 아이디어를 발굴하기 위한 노력을 멈추지 않아야 합니다. 이는 스타트업의 성공과 지속적인 발전을 위한 필수적인 과정입니다.

사례: Airbnb의 혁신적인 숙박 공유 아이디어

Airbnb는 숙박업계에서 혁신적인 변화를 일으킨 대표적인 스타트업입니다. 전통적으로 호텔과 모텔이 숙박 산업을 지배하던 상황에서 Airbnb는 개인의 집을 짧은 기간 동안 임대하는 새로운 숙박 공유 모델을 제시했습니다.

문제 인식

전통적 숙박업의 문제점: 기존의 숙박업계는 가격과 위치의 제한성, 경직된 서비스 등으로 인해 많은 여행객들에게 불편함을 제공했습니다.

여행객들의 다양한 요구: 여행객들은 저렴한 가격, 독특한 숙소 경험, 현지 문화와의 친밀감 등 다양한 요구를 가지고 있었지만, 기존 숙박업체들은 이러한 요구를 충분히 만족시키지 못했습니다.

혁신적 접근

개인의 집을 숙박 공간으로 활용: Airbnb는 개인이 자신의 집을 여행객에게 임시로 임대할 수 있도록 하는 플랫폼을 만들었습니다. 이를 통해 여행객들은 다양한 가격대와 스타일의 숙소를 선택할 수 있게 되었습니다.

현지 문화 체험의 기회 제공: Airbnb를 통해 여행객들은 단순히 숙박을 넘어 현지의 생활과 문화를 경험할 수 있는 기회를 가질 수 있게 되었습니다.

시장의 반응

급속한 성장: Airbnb의 모델은 전 세계적으로 빠르게 확산되었으며, 전통적인 숙박 산업에 큰 변화를 가져왔습니다.

다양한 고객층 확보: 저렴한 숙박부터 독특한 경험을 제공하는 고급 숙소에 이르기까지, 다양한 고객층의 요구를 충족시켰습니다.

결과

산업 패러다임의 변화: Airbnb는 숙박업계의 전통적인 패러다임을 변화시켰으며, 공유 경제 모델의 성공적인 사례로 자리잡았습니다.

시장의 새로운 기준 설정: Airbnb의 성공은 숙박업계 뿐만 아니라 다른 산업 분야에서도 공유 경제 모델을 적용하는 새로운 기준을 제시했습니다.

(실습) 아이디어 정리 워크시트

	분류	항목	작성하기
1-1	목표 고객군	누구의	
2-1	문제 정의	무슨 문제/ 무슨 욕구를	
3-1	경쟁사	기존 대체재	
		기존 대체재 문제점	
4-1	가치 제안	어떻게 잘 해결해주는가?	
5-1	수익 모델	돈은 왜 내는가?	
6-1	혁신	혁신이 될 만한 포인트는 무엇인가?	

03
비즈니스 모델

비즈니스 모델은 기업이 어떻게 가치를 창출하고 전달하여 수익을 창출하는지를 설명하는 것입니다. 비즈니스 모델은 기업의 핵심적인 요소를 포괄하는 것으로, 다음과 같은 요소들을 포함합니다.

- **가치 제안**: 기업이 고객에게 제공하는 가치를 정의합니다.
- **고객 세분화**: 기업이 타겟으로 하는 고객을 정의합니다.
- **채널**: 기업이 고객에게 가치를 전달하는 방법을 정의합니다.
- **관계 관리**: 기업이 고객과 관계를 관리하는 방법을 정의합니다.
- **수익 모델**: 기업이 수익을 창출하는 방법을 정의합니다.

비즈니스 모델의 정의는 다양한 학자와 연구자들에 의해 제시되었습니다. 그 중 대표적인 정의로는 다음과 같은 것들이 있습니다.

Alexander Osterwalder와 Yves Pigneur는 ***"비즈니스 모델은 가치 제안, 고객 세분화, 채널, 관계 관리, 수익 모델의 다섯 가지 기본 요소로 구성된 프레임워크이다."***라고 정의했습니다. (출처: Business Model Generation, 2010)

Timmers는 ***"비즈니스 모델은 특정 사업에 참여하는 이해관계자들의 역할과 이를 위한 아키텍처, 이해 관계자들이 얻는 잠재적 가치를 정의하는 것이다."***라고 정의했습니다. (출처: Business Models: A Managerial Perspective, 1998)

Jay Barney는 ***"비즈니스 모델은 기업이 경쟁 우위를 창출하고 유지하는 데 필요한 핵심 역량과 자원을 정의하는 것이다."***라고 정의했습니다. (출처: Gaining and Sustaining Competitive Advantage, 1991)

비즈니스 모델은 기업의 성공에 중요한 역할을 합니다. 비즈니스 모델을 명확하게 정의하고 이해함으로써 기업은 다음과 같은 이점을 얻을 수 있습니다.

사업 방향 설정: 비즈니스 모델은 기업이 어떤 사업을 해야 하는지, 어떤 고객을 대상으로 해야 하는지, 어떤 방식으로 수익을 창출해야 하는지를 결정하는 데 도움이 됩니다.

전략 수립: 비즈니스 모델은 기업이 경쟁 우위를 확보하고 지속 가능한 성장을 달성하기 위한 전략을 수립하는 데 도움이 됩니다.

성과 평가: 비즈니스 모델은 기업의 성과를 평가하고 개선하기 위한 지표를 설정하는 데 도움이 됩니다.

따라서 기업은 비즈니스 모델을 지속적으로 검토하고 개선함으로써 경쟁력을 강화하고 지속 가능한 성장을 달성하기 위한 노력을 기울여야 합니다.

- 비즈니스 모델의 수립 방법

- **시장 조사**: 시장 조사를 통해 타겟 고객, 경쟁사, 시장 동향 등을 파악합니다. 이 정보는 비즈니스 모델을 설계할 때 중요한 기초 자료가 됩니다.
- **가치 제안 정의**: 고객에게 제공할 독특한 가치와 이를 통해 해결하고자 하는 고객의 문제를 명확히 합니다.
- **핵심 요소 결정**: 제품이나 서비스, 가격 책정, 수익원, 고객 관계, 배포 채널 등 비즈니스의 핵심 요소들을 결정합니다.
- **자원 및 파트너십 파악**: 비즈니스 운영에 필요한 핵심 자원과 가능한 파트너십을 파악하고, 이를 바탕으로 운영 계획을 수립합니다.
- **수익 모델 개발**: 수익을 창출할 방법을 개발하며, 이

는 제품 판매, 구독 서비스, 광고, 수수료 등 다양한 형태를 취할 수 있습니다.

- **비즈니스 모델 검증**: 초기 모델을 시장에 테스트하고, 고객 피드백을 기반으로 지속적으로 조정합니다. 이 과정에서 비즈니스 모델 캔버스와 린 캔버스 같은 도구들이 유용하게 활용될 수 있습니다.

효과적인 비즈니스 모델의 수립은 기업의 성공에 있어 필수적입니다. 이를 위해 시장 이해, 가치 제안의 명확화, 핵심 요소의 결정, 그리고 지속적인 모델의 검증과 개선이 중요합니다. 그럼 다음으로, 이러한 비즈니스 모델을 구체화하고 실행하는 데 도움이 되는 비즈니스 모델 캔버스와 린 캔버스에 대해 자세히 다루겠습니다.

[그림] DALL-E, Prompt : A realistic depiction of a Korean startup team engaged in a brainstorming session for business model ideas. The scene shows a group of four Korean individuals in a modern, well-lit office space. They are gathered around a table, with laptops, notepads, and a whiteboard with business model diagrams and notes. One person is pointing at the whiteboard, another is typing on a laptop, and the rest are in discussion, with notepads and pens in hand. The atmosphere is focused and dynamic, reflecting the collaborative spirit of Korean startup culture.

- 비즈니스 모델 캔버스 (Business Model Canvas)

비즈니스 모델 캔버스는 기업의 전략적 계획과 사업 모델을 시각화하는 효과적인 도구입니다. 알렉산더 오스터왈더와 이브 피뇰이 개발한 이 프레임워크는 기업이 자신의 사업 모델을 구조화하고, 주요 요소 간의 관계를 명확히 하는 데 도움을 줍니다.

1. 가치 제안 (Value Proposition)

- 의미: 고객에게 제공하는 제품 또는 서비스의 특징과 이점을 설명합니다.
- 중요성: 고객이 해당 제품이나 서비스를 선택해야 하는 이유와 경쟁 제품과의 차별점을 명확히 합니다.
- Tesla는 혁신적인 전기차와 지속 가능한 에너지 솔루션을 제공함으로써 차별화된 가치를 제공합니다. 이는 환경 친화적이며 고성능인 자동차에 대한 수요를 충족시킵니다.

2. 고객 세그먼트 (Customer Segments)

- 의미: 비즈니스가 타겟으로 하는 고객 그룹을 정의합니다.
- 중요성: 서로 다른 고객 그룹의 특성과 필요를 이해함으로써, 맞춤형 가치 제안을 개발할 수 있습니다.

- LinkedIn은 전문가, 채용 담당자, 기업, 교육 기관 등 다양한 고객 세그먼트를 대상으로 합니다. 각 세그먼트에 특화된 서비스를 제공함으로써 다양한 고객의 필요를 충족시킵니다.

3. 채널 (Channels)

- 의미: 제품이나 서비스를 고객에게 전달하는 방법을 나타냅니다.
- 중요성: 효과적인 유통 채널은 더 많은 고객에게 도달하고, 고객 경험을 향상시키는 데 중요합니다.
- Spotify는 모바일 앱, 웹사이트, 협력사를 통해 고객에게 음악 스트리밍 서비스를 제공합니다. 다양한 채널을 통해 사용자 접근성을 높이고 사용자 경험을 향상시킵니다.

4. 고객 관계 (Customer Relationships)

- 의미: 기업이 고객과 어떤 관계를 유지하고자 하는지 설명합니다.
- 중요성: 고객 충성도 및 장기적인 고객 관계 구축에 기여합니다.
- Amazon은 사용자 맞춤형 추천, 우수한 고객 서비스, 빠른 배송 등을 통해 강력한 고객 관계를 구축합니다. 이는 고객의 충성도와 재구매율을 높이는 데 기여합니다.

5. 수익원 (Revenue Streams)

- 의미: 기업이 수익을 창출하는 방법입니다.
- 중요성: 다양한 수익원은 재정적 안정성과 성장을

지원합니다.

- Netflix는 월별 구독료를 통해 수익을 창출합니다. 이 수익 모델은 지속적인 콘텐츠 개발과 서비스 개선을 가능하게 합니다.

6. 핵심 자원 (Key Resources)

- 의미: 비즈니스 모델을 운영하기 위해 필요한 주요 자원입니다.
- 중요성: 이러한 자원은 비즈니스의 핵심 가치 제안을 제공하고, 경쟁 우위를 유지하는 데 중요합니다.
- Meta(Facebook)의 핵심 자원은 사용자 데이터, 알고리즘, 기술 인프라, 인재 등입니다. 이들은 사용자 경험을 최적화하고, 맞춤형 광고를 제공하는 데 필수적입니다.

7. 핵심 활동 (Key Activities)

- 의미: 비즈니스 모델을 실행하기 위해 필요한 주요 활동입니다.
- 중요성: 이 활동들은 고객 가치 제안을 실현하고, 비즈니스를 성공적으로 운영하는 데 필수적입니다.
- Airbnb는 플랫폼 관리, 고객 서비스, 마케팅, 기술 개발 등에 집중합니다. 이 활동들은 고객에게 안전하고 신뢰할 수 있는 숙박 경험을 제공하는 데 중요합니다.

8. 핵심 파트너십 (Key Partnerships)

- 의미: 외부 파트너와의 협력 관계입니다.
- 중요성: 효율성을 증가시키고, 위험을 분산시키며,

중요한 자원을 확보하는 데 도움이 됩니다.

- Uber는 차량 제공자, 기술 파트너, 지방 정부 등 다양한 핵심 파트너와 협력합니다. 이러한 파트너십을 통해 운전자 네트워크를 확장하고, 서비스를 법적으로 운영하며, 기술적 혁신을 추진합니다.

9. 비용 구조 (Cost Structure)

- 의미: 비즈니스 운영과 관련된 주요 비용 요소입니다.
- 중요성: 수익과 비용의 균형을 맞추어 재정적 지속 가능성을 확보하는 데 중요합니다.
- Dropbox는 서버 유지 관리, 개발, 마케팅 등에 주요 비용을 지출합니다. 이 비용 구조는 클라우드 기반 스토리지 서비스의 지속적인 운영과 개선을 지원합니다.

(실습) 비즈니스 모델 캔버스& 린 캔버스 워크시트

copilot.kr 웹사이트에서 비즈니스모델 캔버스 양식을 다운로드해서 실습을 진행할 수 있습니다.

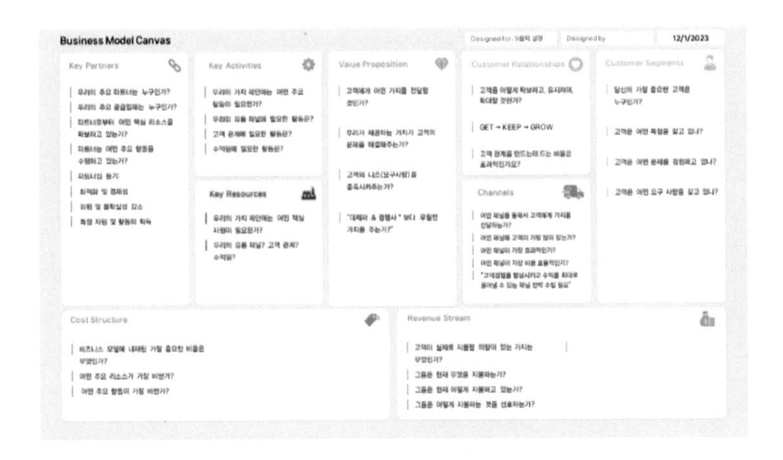

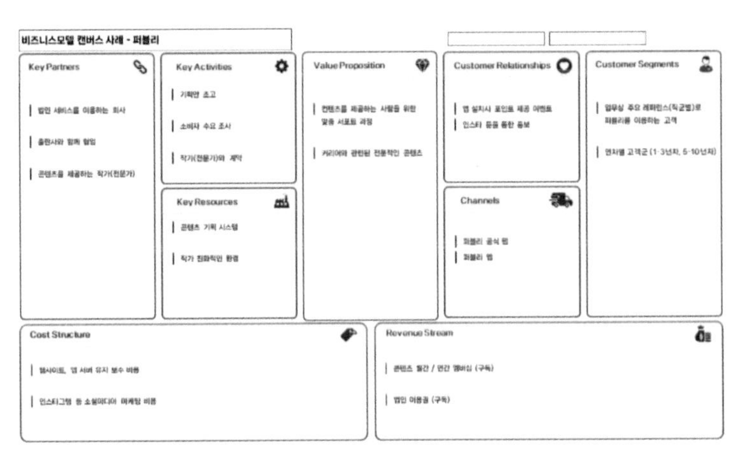

비즈니스 모델 캔버스 읽는 법

비즈니스 모델 캔버스는 고객군 → 가치제안 → 채널 → 고객관계관리 → 매출흐름(수익원) → 핵심자원 → 핵심활동 → 핵심 파트너 → 비용 흐름 순으로 작성하고 읽을 수 있습니다.

비즈니스 모델 캔버스 활용 방안

전략 개발: 기업은 이 캔버스를 사용하여 자신의 사업 모델을 개발하고, 전략을 명확히 할 수 있습니다.

아이디어 시각화: 복잡한 아이디어를 간단하고 명확하게 시각화하여, 팀원들과 공유하고 토론할 수 있습니다.

비즈니스 검토 및 조정: 시장 상황이 변화함에 따라 비즈니스 모델을 주기적으로 검토하고, 필요에 따라 조정할 수 있습니다.

비즈니스 모델 캔버스는 이론적인 도구일 뿐만 아니라 실제 비즈니스 상황에 직접 적용하여 실질적인 가치를 창출할 수 있는 실용적인 프레임워크입니다.

- *린 캔버스 (Lean Canvas)*

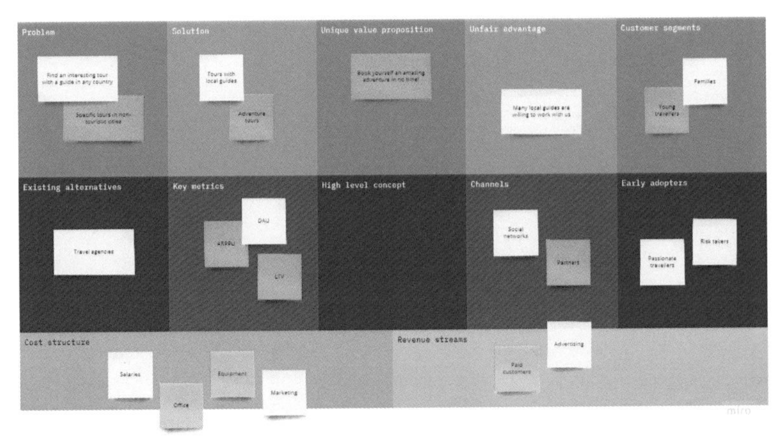

[그림] 린캔버스 (출처 : miro.com)

*미로닷컴 웹사이트(miro.com)에서 스타트업에 필요한 다양한 템플릿과 워크시트를 활용할 수 있습니다.

린 캔버스는 스타트업이 자신의 비즈니스 모델을 신속하게 개발하고, 시장의 피드백을 바탕으로 지속적으로 개선하는 데 도움을 주는 도구입니다. 애쉬 모리아(Ash Maurya)가 개발한 이 프레임워크는 전통적인 비즈니스 모델 캔버스를 스타트업과 혁신적인 사업에 더 적합하게 변형한 것입니다.

1. 문제 (Problem)

- 의미: 시장에서 해결해야 할 주요 문제들을 식별합니다.
- 중요성: 명확한 문제 인식은 제품이나 서비스가

시장의 필요를 충족시키는 데 중심이 됩니다.

- 예시: 전통적인 음식 배달 서비스의 느린 배송과 높은 비용 (이 문제는 배달 앱 사용자들이 자주 겪는 불편함을 반영합니다.)

2. 해결책 (Solution)

- 의미: 식별된 문제를 해결하기 위한 제품이나 서비스의 개요입니다.
- 중요성: 효과적인 해결책은 스타트업의 성공을 좌우합니다.
- 예시: 빠른 배송을 제공하는 로컬 음식 배달 앱 (이 해결책은 특정 지역 내에서 빠르고 효율적인 배달 서비스를 제공하여 문제를 해결합니다.)

3. 핵심 지표 (Key Metrics)

- 의미: 성공을 측정하기 위한 핵심 성과 지표입니다.
- 중요성: 적절한 지표는 사업의 진행 상황을 평가하고 조정하는 데 필요합니다.
- 예시: 주문 처리 시간, 고객 만족도, 일일 활성 사용자 수 (이 지표들은 서비스의 효율성과 고객 만족도를 측정합니다.)

4. 가치 제안 (Unique Value Proposition)

- 의미: 고객에게 제공하는 독특한 가치와 차별화 요소입니다.
- 중요성: 강력한 가치 제안은 시장에서의 경쟁력을 확보하는 데 중요합니다.
- 예시: 30분 내 배달 보장 및 매 주 새로운 메뉴 제공

(이 가치 제안은 빠른 배송과 다양한 메뉴 선택으로 고객에게 차별화된 서비스를 제공합니다.)

5. **경쟁 우위 (Unfair Advantage)**

- 의미: 경쟁자가 쉽게 모방하거나 따라잡을 수 없는 기업의 독특한 장점입니다.
- 중요성: 지속적인 경쟁 우위를 유지하는 데 기여합니다.
- 예시: 독점적인 지역 레스토랑 네트워크 (이러한 네트워크는 경쟁사가 쉽게 모방할 수 없는 독특한 장점을 제공합니다.)

6. **채널 (Channels)**

- 의미: 제품이나 서비스를 고객에게 전달하는 방법입니다.
- 중요성: 효과적인 채널 전략은 더 넓은 고객층에 도달하는 데 필수적입니다.
- 예시: 모바일 앱, 소셜 미디어 마케팅, 현지 이벤트 (이 채널들을 통해 고객에게 서비스를 홍보하고 접근성을 높입니다.)

7. **고객 세그먼트 (Customer Segments)**

- 의미: 제품이나 서비스를 필요로 하는 타겟 고객 그룹입니다.
- 중요성: 명확한 고객 세그먼트는 마케팅 및 제품 개발을 더 효율적으로 만듭니다.
- 예시: 바쁜 직장인, 대학생, 현지 주민 (이 세그먼트는 빠른 배달 서비스를 가장 필요로 하는 고객층을

대상으로 합니다.)

8. **비용 구조 (Cost Structure)**

- 의미: 사업 운영에 필요한 주요 비용 요소입니다.
- 중요성: 비용 효율적인 구조는 재정적 지속 가능성에 기여합니다.
- 예시: 앱 개발 및 유지 관리 비용, 마케팅 비용, 배달 인력 비용 (이 비용 구조는 사업 운영에 필수적인 주요 지출 항목을 반영합니다.)

9. **수익원 (Revenue Streams)**

- 의미: 사업을 통해 수익을 창출하는 방법입니다.
- 중요성: 지속 가능한 수익원은 사업의 성장과 확장에 필수적입니다.
- 예시: 배달 수수료, 프리미엄 구독 모델, 광고 수입 (이 수익원은 사업의 다양한 수익 창출 방법을 보여줍니다.)

린 캔버스 활용 방안

신속한 시장 검증: 린 캔버스는 제품이나 서비스를 빠르게 시장에 출시하고, 초기 반응을 측정하는 데 유용합니다.

지속적인 개선: 시장의 피드백을 바탕으로 사업 모델을 지속적으로 조정하고 개선합니다.

효과적인 의사결정: 명확한 사업 구조와 목표를 설정하여, 스타트업의 의사결정 과정을 간소화하고 목표에 집중할 수 있도록 돕습니다.

린 캔버스는 스타트업의 빠른 성장과 변화에 맞춰 유연하게 사업 모델을 개발하고 조정하는 데 매우 효과적인 도구입니다.

비즈니스모델 캔버스 vs. 린 캔버스 비교

	비즈니스모델캔버스	린캔버스
개발자	알렉산더 오스터왈더와 이브 피뇰	애쉬 모리아
목적	비즈니스 모델의 전체적인 구조 파악 및 전략적 계획 수립	빠른 시장 검증과 반복적인 개선을 통한 비즈니스 모델 조정
대상	기존 기업 및 스타트업	주로 스타트업 및 혁신적인 비즈니스 아이디어
핵심요소	가치 제안, 고객 세그먼트, 채널, 고객 관계, 수익원, 핵심 자원, 핵심 활동, 핵심 파트너십, 비용 구조	문제, 해결책, 핵심 지표, 가치 제안, 경쟁우위, 채널, 고객 세그먼트, 비용 구조, 수익원
접근방식	포괄적인 사업 모델 개발에 중점	최소한의 기능으로 빠른 출시 및 학습에 중점

강점	전체 비즈니스 모델을 체계적으로 이해, 다양한 산업 및 비즈니스 모델에 적용 가능	신속한 시장 검증, 지속적인 피드백 및 개선 가능
단점	초기 스타트업에 대한 적용 시 과도한 정보 요구 가능성	전통적인 기업에 비해 상세한 전략 수립에는 제한적
적합한 사용시점	비즈니스 아이디어 초기 구조화 단계, 장기적인 전략 수립 필요 시	빠른 시장 반응 확인 필요 시, 지속적인 비즈니스 모델 조정이 필요할 때

비즈니스 모델 캔버스는 비즈니스의 전체 구조를 체계적으로 이해하고, 장기적인 계획을 세우는 데 유용한 도구입니다. 반면, 린 캔버스는 스타트업과 혁신적인 사업 아이디어에 초점을 맞춰 빠른 시장 검증과 지속적인 개선을 목표로 합니다. 각각의 캔버스는 서로 다른 접근 방식과 강점을 가지고 있으며, 비즈니스의 단계와 목표에 따라 적절히 선택하여 활용하는 것이 중요합니다.

04
시장조사와 타겟 고객 분석

- 효과적인 시장 조사 방법

시장 조사는 스타트업이나 기업이 경쟁력 있는 비즈니스 전략을 수립하는 데 필수적인 과정입니다. 이는 시장의 크기, 경쟁 상황, 소비자의 행동과 요구를 파악하는 것을 목표로 하며, 효과적인 시장 조사는 제품 개발, 마케팅 전략, 심지어 사업 모델의 조정에 중요한 기초 자료를 제공합니다.

목표 설정과 데이터 수집

시장 조사를 시작하기 전에 구체적인 목표를 설정하는 것이 중요합니다. 예를 들어, 건강 식품을 판매하는 스타트업이 타겟 고객층의 건강에 대한 인식, 구매 습관, 선호하는 유통 채널 등을 파악하려고 할 수 있습니다. 이러한 목표는 조사의 방향을 설정하고, 필요한 데이터를 정확히 수집하는 데 도움이 됩니다.

데이터 수집은 크게 두 가지 방식으로 나뉩니다: 1차 자료 수집과 2차 자료 수집. 1차 자료는 직접 수집하는 데이터로, 예를 들어 친환경 자동차를 제작하는 스타트업이 잠재 고객을 대상으로 설문 조사를 진행하여 환경에 대한 관심도, 구매 가능성, 가격 민감도 등을 조사할 수 있습니다. 2차 자료는 이미 존재하는 자료로부터 얻는 정보입니다. 예를 들어, 유아용 제품을 판매하는 기업이 기존의 출산율 통계, 유아용품 시장 분석 보고서 등을 활용하여 시장의 잠재력을 평가할 수 있습니다.

데이터 분석과 인사이트 도출

수집된 데이터의 분석은 시장 조사의 핵심 부분입니다. 예를 들어, 온라인 교육 서비스를 제공하는 기업이 수집한 데이터를 분석하여 가장 선호되는 교육 코스 유형, 사용자의 학습 패턴, 가장 효과적인 마케팅 채널 등을 파악할 수 있습니다. 이러한 분석을 통해 얻은 인사이트는 제품 개발과 마케팅 전략 수립에 필수적인 역할을 합니다.

또한, 경쟁사 분석을 통해 시장에서의 자신의 위치와 경쟁 우위를 확보할 수 있는 기회를 발견할 수 있습니다. 예를 들어, 스마트폰 액세서리를 제작하는 스타트업이 주요 경쟁사의 제품 범위, 가격 전략, 고객 평가 등을 분석하여 자신의 제품을 어떻게 차별화할 수 있을지 결정할 수 있습니다.

보고서 작성과 전략 수립

분석 결과를 바탕으로 한 보고서는 시장 조사의 마지막 단계입니다. 이 보고서는 제품 개발, 마케팅 전략, 사업 모델의 수정 등에 활용됩니다. 예를 들어, 미용 제품을 판매하는 회사는 시장 조사 보고서를 바탕으로 주요 타겟 고객층을 결정하고, 이들을 대상으로 한 마케팅 캠페인을 계획할 수 있습니다.

지속적인 시장 모니터링

시장은 지속적으로 변화하므로, 정기적인 시장 조사와 모니터링이 필요합니다. 예를 들어, IT 서비스를 제공하는 기업은 기술 발전, 고객의 요구 변화, 새로운 규제 등을 지속적으로 모니터링하여 서비스를 최신 상태로 유지하고 새로운 비즈니스 기회를 포착할 수 있습니다.

효과적인 시장 조사는 비즈니스가 시장의 요구를 이해하고, 전략적인 비즈니스 결정을 내리는 데 필수적인 과정입니다. 명확한 목표 설정, 체계적인 데이터 수집 및 분석, 그리고 이를 바탕으로 한 전략 수립은 비즈니스의 성공을 위한 중요한 기반을 마련합니다. 시장 조사를 통해 얻은 통찰력은 제품 개발부터 마케팅 전략에 이르기까지 비즈니스의 모든 측면에 영향을 미치며, 이는 경쟁 우위 확보와 지속 가능한 성장을 위한 필수적인 단계입니다.

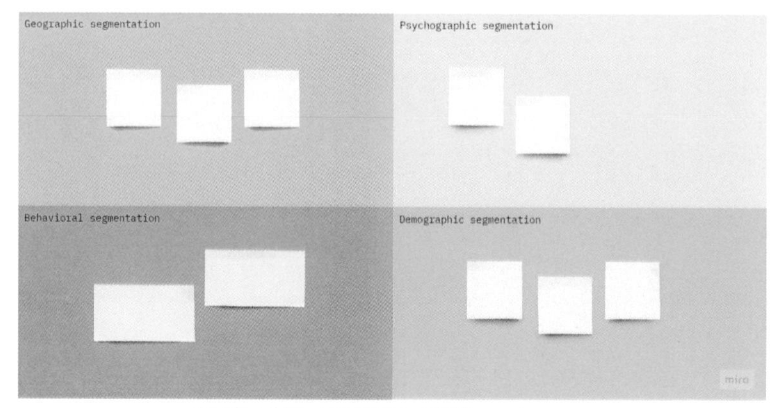

[그림] 마켓 세그먼트 (출처 : miro.com)

- 시장 트렌드와 경쟁 분석

시장의 트렌드와 경쟁 분석은 비즈니스가 현재 시장 환경을 이해하고 미래의 기회를 포착하는 데 중요합니다. 이 과정은 기업이 자신의 위치를 파악하고, 경쟁 우위를 확보하는 데 도움을 줍니다. 또한, 시장 변화에 대응하고 장기적인 성공 전략을 수립하는 데 필수적인 기초 자료를 제공합니다.

시장 트렌드 파악

시장 트렌드 분석은 새로운 비즈니스 기회를 발견하고, 장기적인 전략을 수립하는 데 중요합니다. 예를 들어, 의류 산업에서 지속 가능한 패션에 대한 관심이 증가하고 있다면, 친환경 소재를 사용하는 의류 브랜드가 이 트렌드를 활용하여 시장 점유율을 확대할 수 있습니다. 또한, 스마트 홈 기기 산업에서는 인공지능과 IoT 기술의 발전이 중요한 트렌드로 자리잡고 있으며, 이를 반영하여 혁신적인 제품을 개발하는 기업은 시장에서 경쟁력을 갖출 수 있습니다.

경쟁 분석

경쟁 분석은 기업이 시장 내의 위치를 이해하고, 경쟁사와의 차별점을 찾는 데 도움을 줍니다. 예를 들어, 커피숍 체인은 경쟁사의 메뉴 구성, 가격 전략, 고객 서비스 품질 등을 분석하여 자신만의 독특한 가치 제안을 개발할 수 있습니다. 또한, 디지털 마케팅 에이전시는 경쟁사의 서비스 포트폴리오, 가격 정책, 고객 평가 등을 조사하여 시장 내에서의 자신의 위치를 파악하고, 서비스를 개선할 수 있습니다.

SWOT 분석 활용

SWOT 분석은 자사의 강점(Strengths), 약점(Weaknesses), 기회(Opportunities), 위협(Threats)을 평가하는 데 유용한 도구입니다. 예를 들어, 신생 IT 기업이 자사의 기술 혁신, 경험 부족, 신기술 적용에 대한 시장의 수요 증가, 대기업과의 경쟁 등을 분석하여 사업 전략을 조정할 수 있습니다. 이러한 분석을 통해 기업은 자신의 강점을 극대화하고, 약점을 보완하며, 시장의 기회를 포착하고, 외부 위협에 대응하는 전략을 수립할 수 있습니다.

경쟁 전략의 수립

경쟁 분석 결과를 바탕으로 경쟁 전략을 수립하는 것은 시장에서의 성공을 위해 중요합니다. 예를 들어, 스마트폰 액세서리를 제작하는 회사는 경쟁사의 제품과 차별화되는 독특한 디자인이나 기능을 강조하여 고객의 관심을 끌 수 있습니다. 또한, SaaS(Software as a Service)를 제공하는 기업은 경쟁사보다 뛰어난 고객 지원 서비스를 제공함으로써 고객 충성도를 높일 수 있습니다.

시장의 트렌드와 경쟁 분석은 비즈니스가 시장 환경을 정확히 이해하고, 경쟁 우위를 확보하기 위한 전략을 수립하는데 필수적입니다. 이를 통해 기업은 시장의 변화에 효과적으로 대응하고, 미래의 성장 기회를 포착할 수 있습니다. 지속적인 시장 조사와 경쟁사 분석은 비즈니스가 경쟁력을 유지하고 지속 가능한 성공을 이루는 데 중요한 역할을 합니다.

- 타겟 고객의 이해와 고객 페르소나

타겟 고객의 이해와 고객 페르소나의 개발은 비즈니스가 제품이나 서비스를 효과적으로 시장에 제시하고, 고객의 요구와 기대를 충족시키기 위해 필수적입니다. 이 과정은 고객의 특성, 행동, 요구 및 문제점을 파악하고, 이를 바탕으로 구체적인 고객 이미지를 만드는 것을 목표로 합니다.

고객의 이해

고객을 이해하는 것은 시장에서 성공적인 제품을 개발하고, 효과적인 마케팅 전략을 수립하는 기초가 됩니다. 예를 들어, 온라인 의류 쇼핑몰을 운영하는 기업은 자신의 주요 고객층이 패션에 관심이 많은 젊은 여성이라고 가정할 수 있습니다. 이 기업은 이들의 구매 습관, 스타일 선호도, 온라인 쇼핑에 대한 태도 등을 조사하여 타겟 고객에 대한 깊은 이해를 얻을 수 있습니다.

고객의 이해를 위해서는 다양한 방법이 사용될 수 있습니다. 고객 인터뷰, 설문 조사, 행동 데이터 분석, 소셜 미디어에서의 트렌드 추적 등이 효과적인 방법입니다. 예를 들어, 헬스케어 앱 개발 회사는 사용자의 건강 관리 습관, 앱 사용성에 대한 선호도, 건강 목표 등을 조사하여 사용자의 필요와 선호를 파악할 수 있습니다.

고객 페르소나 개발

고객 페르소나는 실제 고객을 대표하는 가상의 인물입니다. 이는 비즈니스가 실제 고객에게 어떻게 다가갈지 전략을 세우는 데 도움을 줍니다. 고객 페르소나는 고객의 기본적인 인구학적 정보부터, 구매 동기, 행동 패턴, 선호도, 경험 등을 포함해야 합니다.

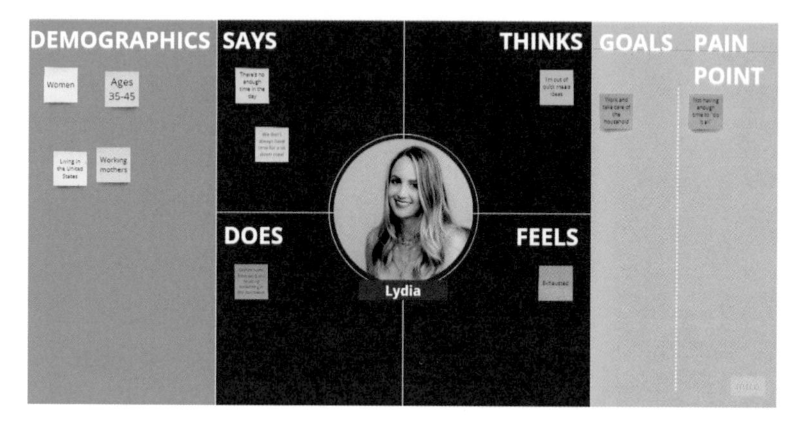

[그림] 고객 페르소나 맵 (출처 : miro.com)

예를 들어, 스포츠용품을 판매하는 기업은 '액티브 앤디'라는 페르소나를 만들 수 있습니다. '액티브 앤디'는 30대 초반의 남성으로, 정기적으로 헬스장을 방문하고, 최신 피트니스 트렌드에 관심이 많으며, 품질 좋은 스포츠용품에 투자하는 것을 선호합니다. 이 페르소나를 바탕으로, 기업은 자신의 제품과 마케팅 메시지를 '액티브 앤디'의 요구와 관심사에 맞춰 조정할 수 있습니다.

페르소나를 활용한 전략 수립

고객 페르소나는 제품 개발, 컨텐츠 마케팅, 고객 서비스 등 비즈니스의 다양한 영역에서 활용될 수 있습니다. 예를 들어,

유기농 식품을 판매하는 회사는 '건강한 헬렌'이라는 페르소나를 바탕으로 식품의 질과 안전성에 중점을 둔 마케팅 캠페인을 개발할 수 있습니다. 또한, 이동 통신 서비스 제공업체는 '기술에 능숙한 톰'과 '기술에 서툰 사라'라는 두 가지 페르소나를 개발하여 서로 다른 요구에 맞는 맞춤형 서비스 패키지를 제공할 수 있습니다.

고객 피드백과 페르소나의 지속적인 개선

고객 페르소나는 시장과 고객의 변화에 따라 지속적으로 업데이트되어야 합니다. 고객의 피드백, 시장 트렌드의 변화, 새로운 경쟁사의 등장 등은 페르소나를 수정하고 발전시키는 데 중요한 요소입니다. 예를 들어, 모바일 게임 개발 회사는 새로운 게임 트렌드와 사용자의 피드백을 반영하여 기존의 페르소나를 업데이트하고, 이에 맞춰 게임 디자인과 사용자 경험을 개선할 수 있습니다.

고객의 이해와 고객 페르소나의 개발은 비즈니스가 제품이나 서비스를 효과적으로 시장에 제시하고, 고객의 요구를 만족시키기 위한 핵심 과정입니다. 이를 통해 기업은 고객에게 더 깊이 다가갈 수 있으며, 제품 개발과 마케팅 전략을 더 효과적으로 수립할 수 있습니다. 고객 페르소나는 비즈니스가 고객의 요구와 기대를 정확히 파악하고, 이에 부합하는 제품과 서비스를 제공하는 데 중요한 역할을 합니다.

- 아이디어 및 가설 검증

아이디어 및 가설 검증은 비즈니스 아이디어의 시장 적합성을 평가하고, 사업 전략을 보다 효과적으로 조정하는 핵심 단계입니다. 이 과정은 비즈니스 모델의 초기 단계에서 중요한 결정을 내리기 전에, 사업 아이디어가 실제 시장에서 성공할 수 있는지를 검증합니다.

가설 설정

아이디어 검증의 첫 단계는 구체적인 가설을 설정하는 것입니다. 가설은 비즈니스 아이디어나 제품이 시장에서 어떻게 수용될지에 대한 예측이며, 이는 사업 계획의 핵심 가정으로 작용합니다. 예를 들어, 친환경 가방을 제작하는 스타트업이 '친환경 제품에 대한 인식이 높은 20-30대 여성은 프리미엄 가격을 지불할 의향이 있다'는 가설을 세울 수 있습니다.

실험 계획 및 실행

가설을 검증하기 위해서는 실험 계획을 세우고 실행해야 합니다. 실험은 가설의 타당성을 테스트하고, 필요한 데이터를 수집하기 위한 방법입니다. 이를 위해 최소 기능 제품(MVP)을 개발하거나, 시장 조사, A/B 테스트, 프로토타입 테스트 등 다양한 방법을 사용할 수 있습니다.

예를 들어, 모바일 게임 개발 회사가 '사용자들은 경쟁적인 게임 플레이보다는 협력적인 게임 플레이를 선호한다'는 가설을 검증하기 위해 두 가지 버전의 게임을 개발하고 테스트할 수 있습니다. 하나는 경쟁적 요소를 강조하고, 다른 하나는 협력적 요소를 강조합니다. 이후 사용자 반응과 선호도를 분석하여 가설의 타당성을 검증합니다.

데이터 수집 및 분석

실험을 통해 수집된 데이터는 가설 검증의 근거가 됩니다. 데이터 분석을 통해 가설이 실제로 시장에서 어떻게 작동하는지 이해할 수 있습니다. 예를 들어, 유기농 식품 배달 서비스를 제공하는 회사는 특정 지역에서의 시범 운영을 통해 수집된 주문 데이터, 고객 피드백, 재구매율 등을 분석하여 서비스의 인기도와 고객의 만족도를 평가할 수 있습니다.

가설의 검증 및 조정

수집된 데이터와 분석 결과를 통해 가설을 검증하고, 필요한 경우 비즈니스 모델을 조정합니다. 가설이 타당한 경우, 해당 방향으로 사업 전략을 진행합니다. 반면, 가설이 틀린 것으로 나타나면, 새로운 가설을 설정하고 다시 실험을 진행할 수 있습니다.

예를 들어, 온라인 교육 플랫폼이 '전문가에 의한 실시간 수업은 녹화된 강의보다 더 높은 학습 만족도를 제공한다'는 가설을 세웠다면, 실시간 수업과 녹화된 강의를 제공하고 학습자의 만족도를 비교 분석합니다. 만약 실시간 수업이 더 높은 만족도를 보인다면, 이 방향으로 서비스를 개선하고 확장할 수 있습니다.

아이디어 및 가설 검증은 비즈니스가 시장에서 성공하기 위한 중요한 단계입니다. 가설 설정, 실험 계획 및 실행, 데이터 수집 및 분석, 그리고 가설의 검증과 조정을 통해 비즈니스는 시장의 요구와 기대를 더 정확하게 이해하고, 제품이나 서비스를 효과적으로 개선할 수 있습니다. 이 과정은 비즈니스의 성공 가능성을 높이고, 시장에서의 경쟁력을 강화하는데 중요한 역할을 합니다.

- 사무실 밖으로 나가라 (Get out of the building)

"사무실 밖으로 나가라(Get out of the building)" - 이 간결한 문구는 스티브 블랭크가 강조하는 핵심 원칙 중 하나로, 비즈니스의 성공을 위해 실제 고객과 직접 만나는 것의 중요성을 강조합니다. 이 접근 방식은 이론적인 가정과 시장 조사를 넘어서, 고객의 실제 요구와 반응을 직접 경험하고 이해하는 데 필수적입니다.

고객과의 직접적인 상호작용

고객과의 직접적인 상호작용은 비즈니스에 대한 깊은 통찰력을 제공합니다. 예를 들어, 식료품 배달 서비스를 제공하는 스타트업은 시장 조사를 통해 특정 데이터를 얻을 수 있지만, 실제 고객을 만나 대화함으로써 더 구체적이고 개인적인 피드백을 얻을 수 있습니다. 고객이 서비스를 이용하는 과정에서 느끼는 불편함, 제품에 대한 세부적인 기대, 가격에 대한 인식 등은 직접 만나야만 파악할 수 있는 중요한 요소들입니다.

현장에서의 경험과 학습

사무실 밖으로 나가 현장에서 고객과 만나는 경험은 이론적인 지식으로는 얻을 수 없는 학습 기회를 제공합니다. 예를 들어, 어린이 교육용 앱을 개발하는 회사의 경우, 실제 어린이들이 앱을 사용하는 모습을 관찰하고, 부모님의 의견을 들음으로써 앱의 사용성, 교육적 효과, 부모와 아이의 상호작용 등에 대한 귀중한 인사이트를 얻을 수 있습니다.

고객의 실제 요구 파악

고객과의 직접 만남은 고객의 실제 요구를 파악하는 데 중요합니다. 예를 들어, 피트니스 기기를 제조하는 기업이 직접

체육관을 방문하여 트레이너와 운동하는 사람들에게 피드백을 요청하는 것은 제품 개발에 실질적인 방향을 제시할 수 있습니다. 실제 사용자의 경험과 요구를 이해함으로써 제품의 기능, 디자인, 사용 편의성 등을 개선할 수 있습니다.

실시간 피드백과 반응

고객과의 직접적인 만남은 실시간 피드백을 얻는 가장 효과적인 방법입니다. 예를 들어, 의류 브랜드가 팝업 스토어를 열어 신제품을 선보이고 고객의 반응을 살피는 것은 제품에 대한 즉각적인 평가를 얻을 수 있는 좋은 기회입니다. 고객의 반응, 선호도, 구매 결정 요인 등을 실시간으로 파악함으로써, 제품과 마케팅 전략을 신속하게 조정할 수 있습니다.

"사무실 밖으로 나가라"는 원칙은 실제 고객과의 직접적인 만남을 통해 비즈니스의 성공을 이끌어내는 강력한 전략입니다. 이 접근법은 고객의 실제 요구와 반응을 이해하고, 비즈니스 아이디어와 제품을 시장의 요구에 맞추어 조정하는 데 필수적인 역할을 합니다. 고객과의 직접 만남은 비단 제품 개발에만 국한되지 않고, 전반적인 비즈니스 전략, 고객 서비스, 마케팅 전략 등 다양한 영역에 깊은 영향을 미칩니다. 이러한 만남을 통해 얻은 인사이트는 비즈니스를 현장의 현실에 더 밀착시키고, 고객 중심의 사고방식을 강화하는 데 큰 도움이 됩니다.

05
최소 실행 가능 제품(MVP)과 시장 테스트

- *MVP의 개발과 중요성*

최소 실행 가능 제품(Minimum Viable Product, 이하 MVP)은 신제품 개발과 시장 진입 과정에서 필수적인 전략입니다. MVP는 제품이나 서비스의 가장 기본적인 버전으로, 핵심 기능에 집중하며, 최소한의 자원으로 최대한의 학습을 목표로 합니다. 이 접근 방식은 스타트업과 혁신적인 프로젝트에 특히 중요한데, 이는 제품 개발 리스크를 최소화하고, 신속한 시장 피드백을 통해 제품을 지속적으로 개선할 수 있기 때문입니다.

MVP 개발의 목적

빠른 시장 검증: MVP는 새로운 아이디어나 제품이 실제 시장에서 어떻게 작동할지를 빠르게 테스트하고 검증합니다. 이를 통해 개발자와 기업은 더 많은 시간과 자원을 투자하기 전에 제품의 시장 적합성을 평가할 수 있습니다.

고객 중심의 제품 개발: MVP는 고객의 요구와 피드백에 중점을 두고 제품을 개발합니다. 이는 제품이 고객의 실제 문제를 해결하고 필요를 충족시키는 데 집중하게 합니다.

유연성과 반응성: 초기 단계의 MVP는 변경과 조정이 용이합니다. 시장의 반응에 따라 제품을 신속하게 조정하고 개선할 수 있는 유연성을 제공합니다.

MVP 개발의 예시

기술 스타트업: 새로운 소프트웨어나 앱을 개발하는 스타트업은 기본적인 기능만을 갖춘 MVP를 출시하고 사용자의 반응을 측정합니다. 예를 들어, 채팅 앱을 개발하는 경우, 가장 기본적인 메시징 기능만을 포함한 초기 버전을 테스트 목적으로 출시할 수 있습니다.

소비재 회사: 새로운 제품 라인을 출시하는 소비재 회사는 소규모 생산을 통해 제한된 시장에서 제품을 시험 판매합니다. 예를 들어, 친환경 청소 제품을 개발하는 회사는 소규모로 제품을 생산하여 지역 시장에서의 반응을 살핍니다.

MVP는 제품 개발과 시장 진입 과정에서 핵심적인 역할을 합니다. 이를 통해 기업은 더 적은 리스크와 비용으로 시장을 테스트하고, 고객의 요구에 기반한 피드백을 수집하여 제품을 지속적으로 개선할 수 있습니다. MVP는 신속한 학습과 지속적인 제품 개선을 가능하게 하여, 장기적인 비즈니스 성공을 위한 견고한 기반을 마련합니다.

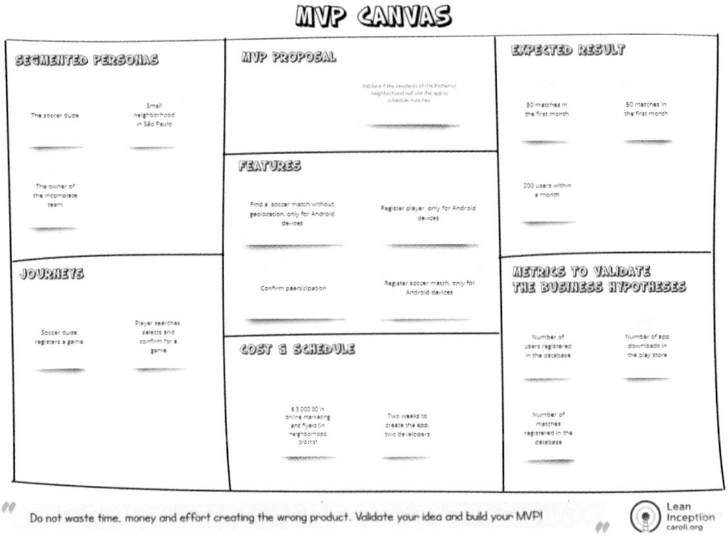

[그림] MVP 캔버스 (출처 : miro.com)

- MVP를 통한 초기 제품 개발

MVP의 정의와 목적

최소 실행 가능 제품(Minimum Viable Product, MVP)은 제품이나 서비스의 가장 기본적인 형태로, 필수적인 기능만을 포함합니다. MVP의 주된 목적은 신속하게 시장 반응을 얻고, 초기 고객의 피드백을 기반으로 제품을 개선하는 것입니다. 이는 제품 개발에 있어 시간과 비용을 절약하며, 시장의 요구를 더 잘 이해할 수 있도록 돕습니다.

MVP 개발의 중요성

시장 검증: MVP는 제품 아이디어의 시장 적합성을 신속하게 검증합니다. 이를 통해 비즈니스 모델의 타당성을 평가하고, 필요한 조정을 빠르게 수행할 수 있습니다.

고객 중심의 개발: 고객의 피드백을 수집하고 반영함으로써, 제품이 실제 시장의 요구를 충족시킬 수 있도록 합니다.

리스크 관리: 대규모 투자와 개발에 앞서, MVP를 통해 리스크를 최소화하고 제품의 성공 가능성을 탐색합니다.

MVP 개발 단계

핵심 기능 식별: 제품이 해결하고자 하는 문제와 제공하고자 하는 가치를 명확히 하고, 이를 실현할 수 있는 핵심 기능을 결정합니다.

개발 및 구현: 식별된 핵심 기능을 중심으로 빠르고 효율적으로 MVP를 개발합니다. 이 단계에서는 복잡성을 줄이고, 구현에 필요한 최소한의 자원에 집중합니다.

시장 출시: 개발된 MVP를 실제 시장에 출시하여 초기 사용자의 반응을 측정합니다. 이 단계는 제품의 시장 적합성을 평가하는 데 중요합니다.

MVP를 통한 학습과 개선

피드백 수집: 사용자의 피드백, 제품 사용 데이터, 시장의 반응 등을 철저히 분석합니다.

반복적인 개선: 수집된 피드백을 바탕으로 제품을 지속적으로 개선하고, 필요에 따라 추가 기능을 도입합니다.

시장의 변화에 대응: 시장의 변화와 경쟁 상황을 지속적으로 모니터링하며, 이에 따라 제품 전략을 조정합니다.

실제 사례

예를 들어, 새로운 소셜 미디어 플랫폼을 개발하는 스타트업은 사용자들이 가장 중요하게 여기는 기능, 예를 들면, 메시지 송수신 기능만을 포함한 MVP를 출시할 수 있습니다. 이후 사용자들의 피드백과 사용 패턴을 분석하여, 네트워킹 기능, 사용자 인터페이스 등을 개선하고 추가 기능을 도입할 수 있습니다.

MVP를 통한 초기 제품 개발은 스타트업이나 혁신적인 프로젝트에 있어 핵심적인 단계입니다

[그림] DALL-E, Prompt : An image capturing the concept of a small team quickly developing and market-testing a Minimum Viable Product (MVP). The scene features a few professionals in a simplified workspace, focused on rapidly creating a basic but effective MVP. They are using minimal resources, with a clear emphasis on speed and efficiency. The team is engaged in a streamlined process, with one person coding on a laptop, another sketching out ideas on paper, and a third analyzing market data on a tablet. The background is uncluttered, emphasizing the lean approach of the startup. The MVP is represented by a simple prototype on a central screen, symbolizing the focus on rapid development and market validation.

- *고객 피드백의 수집과 적용*

고객 피드백의 중요성

고객 피드백은 제품이나 서비스의 성공을 위해 필수적인 요소입니다. 피드백은 고객의 요구, 기대, 불만 등을 직접적으로 이해할 수 있게 해주며, 제품 개선과 시장 전략 조정에 중요한 근거를 제공합니다.

피드백 수집 방법

- **온라인 설문조사**: 제품 사용 후 고객에게 짧은 설문조사를 보내서 그들의 의견을 수집합니다.
- **직접 인터뷰**: 고객을 직접 만나 제품에 대한 피드백을 받으며, 더 깊이 있는 이해를 얻습니다.
- **사용자 행동 분석**: 웹사이트나 앱에서의 사용자 행동 데이터를 분석하여, 고객의 선호와 행동 패턴을 파악합니다.
- **소셜 미디어 모니터링**: 소셜 미디어에서 제품에 대한 고객의 의견과 토론을 추적합니다.
- **고객 서비스 피드백**: 고객 서비스 팀을 통해 수집된 고객의 질문과 불만을 분석합니다.

피드백의 적용

- **제품 기능 개선**: 고객의 피드백을 바탕으로 제품의 기능, 사용성, 디자인을 개선합니다.
- **고객 경험 향상**: 고객의 경험을 개선하기 위해 서비스

프로세스, 고객 지원 등을 조정합니다.

- **신규 기능 개발**: 고객의 요구를 충족시키기 위해 제품에 새로운 기능이나 서비스를 추가합니다.
- **시장 전략 조정**: 피드백을 바탕으로 마케팅 메시지, 타겟 고객군, 가격 전략 등을 조정합니다.

사례

예를 들어, 모바일 게임 개발 회사는 사용자의 피드백을 통해 게임 내 결제 시스템이 너무 복잡하다는 것을 알게 되었을 수 있습니다. 이에 따라 결제 프로세스를 간소화하고 사용자 인터페이스를 개선하여, 사용자 경험을 향상시킬 수 있습니다.

피드백 기반의 지속적 개선

고객 피드백은 지속적인 학습과 개선 과정의 일부입니다. 이를 통해 기업은 고객의 요구에 더 잘 부응하고, 제품의 시장 적합성을 지속적으로 향상시킬 수 있습니다. 정기적으로 피드백을 수집하고, 이를 제품과 서비스 개발에 반영함으로써, 기업은 지속 가능한 성장과 경쟁 우위를 확보할 수 있습니다.

고객 피드백의 수집과 적용은 제품 개발과 시장 전략 수립에 있어 중요한 단계입니다. 고객의 목소리에 귀 기울이고, 이를 제품과 서비스에 반영함

- 시장 테스트와 반응 분석

시장 테스트는 제품이나 서비스가 실제 소비자와 시장 환경에서 어떻게 작동하는지를 평가하는 과정입니다. 이 단계에서는 제품의 시장 적합성, 고객의 수용도, 경쟁력 등을 분석하며, 이를 통해 제품 개발과 마케팅 전략을 더욱 정교화할 수 있습니다.

시장 테스트의 실행

시장 테스트는 다양한 형태로 실행될 수 있으며, 각 방법은 제품의 특성과 목표 시장에 따라 달라질 수 있습니다.

소규모 출시: 제품을 한정된 시장이나 고객 그룹에 제한적으로 출시하여 반응을 측정합니다.

파일럿 프로그램: 특정 지역이나 대상에 제품을 시험적으로 출시하고, 사용자 경험과 반응을 분석합니다.

A/B 테스트: 두 가지 이상의 제품 버전을 시장에 제공하여 각각의 성과를 비교합니다.

반응 분석

시장 테스트 후 반응을 분석하는 과정은 제품 개선과 전략 수립에 핵심적입니다.

수량적 데이터 분석: 판매량, 웹사이트 트래픽, 사용자 참여도 등의 수치를 분석하여 제품의 성과를 평가합니다.

질적 피드백 분석: 고객 인터뷰, 설문조사, 소셜 미디어 리뷰 등을 통해 얻은 질적인 피드백을 분석합니다.

시장 동향 분석: 경쟁 상황, 시장 변화, 고객 선호의 변화 등을 지속적으로 분석하여 제품의 위치를 파악합니다.

예를 들어, 새로운 피트니스 앱을 출시하는 기업이 특정 도시에서 파일럿 프로그램을 실행할 수 있습니다. 이 기업은 앱의 사용자 활동 데이터, 구독 변환율, 사용자 피드백을 분석하여 앱의 인기 요소와 개선이 필요한 부분을 파악할 수 있습니다. 또한, 경쟁 앱과의 비교를 통해 자사 앱의 독특한 특징과 경쟁 우위를 식별할 수 있습니다.

시장 테스트와 반응 분석은 제품의 시장 적합성을 평가하고, 지속적인 개선을 위한 방향을 제시하는 중요한 단계입니다. 제품의 성공을 위해서는 시장의 반응을 면밀히 분석하고, 이를 바탕으로 제품과 전략을 지속적으로 조정하는 것이 필요합니다. 이 과정은 제품이 시장의 요구에 부응하고, 경쟁에서 우위를 점할 수 있도록 하는 데 중요한 역할을 합니다.

- 시장 반응의 분석과 전략적 조정

스타트업의 여정에서 제품을 시장에 출시한 후 받는 초기 반응은 매우 중요합니다. 이 반응은 우리가 제품에 대해 가진 가설을 검증하고, 필요한 조정을 하는 데 필수적인 통찰을 제공합니다. 고객의 피드백, 사용자 행동 데이터, 온라인 리뷰, 소셜 미디어에서의 언급 등 다양한 채널을 통해 수집된 시장 반응은 우리가 제품을 개선하고 시장의 요구에 더 잘 부응할 수 있는 방향을 가리키는 나침반과 같습니다.

이 데이터를 분석하는 과정은 단순히 숫자를 취합하고 그래프를 그리는 것을 넘어서, 제품이 실제 사용자의 생활에 어떻게 적용되고 있는지, 사용자들이 가지는 가장 큰 고민과 요구는 무엇인지를 이해하는 과정입니다. 이 분석을 통해 우리는 제품의 강점을 강화하고, 약점을 개선할 수 있는 구체적인 방안을 도출할 수 있습니다. 예를 들어, 사용자 인터페이스(UI)가 직관적이지 않다거나, 특정 기능이 고객의 기대에 부응하지 못하는 경우, 이런 피드백은 제품 개선의 중요한 신호가 됩니다.

이러한 데이터 기반의 인사이트는 전략적인 제품 조정으로 이어져야 합니다. 중요한 것은, 모든 피드백이나 데이터 포인트에 반응하여 지속적으로 제품을 변경하는 것이 아니라, 전체적인 제품 전략과 시장의 방향성을 고려하여 핵심적이고 영향력 있는 변경을 추진하는 것입니다. 이 과정에서는 우선순위를 정하고, 각 변경 사항에 대한 구체적인 계획을 세우며, 이 계획이 실행될 때 필요한 자원과 시간, 그리고 예상되는 영향을 고려해야 합니다.

또한, 이러한 변화는 내부적으로 팀원들과의 긴밀한 소통을 통해 지원되어야 합니다. 개발팀, 마케팅팀, 고객 서비스 팀 등 관련된 모든 팀이 변경 사항에 대해 잘 이해하고, 그 목적과 실행 계획에 동의하며, 필요한 조정을 함께 진행하는 것이 중요합니다. 이것은 단순히 정보를 전달하는 것이 아니라, 팀 내에서의 효과적인 협력과 소통을 촉진하는 과정입니다.

마지막으로, 변화를 실행한 후에는 그 효과를 지속적으로 모니터링하고 평가해야 합니다. 이는 제품이 계속해서 올바른 방향으로 나아가고 있음을 확인하고, 필요할 경우 추가적인 조정을 할 수 있도록 합니다. 이러한 반복적인 과정을 통해 스타트업은 지속적으로 제품을 개선하고, 시장에서의 입지를 강화하며, 궁극적으로는 성공적인 비즈니스로 성장할 수 있습니다.

- 제품 개선과 반복 과정

스타트업의 성공 여부는 제품을 지속적으로 개선하고 시장의 변화에 어떻게 반응하는지에 크게 달려 있습니다. 이 과정은 단순히 제품을 업데이트하는 것 이상의 의미를 갖습니다. 제품 개선과 반복 과정은 시장의 요구를 끊임없이 학습하고, 이를 제품에 반영하여 지속적으로 성장하는 데 필요한 핵심 요소입니다.

반복적 개선의 시작: 고객 피드백의 수집

제품의 첫 버전을 시장에 출시한 후, 스타트업은 고객으로부터의 피드백을 적극적으로 수집합니다. 이 피드백은 온라인 리뷰, 소셜 미디어, 직접적인 고객 인터뷰, 사용자 행동 분석 등 다양한 형태로 나타납니다. 이 초기 피드백은 제품의 핵심 가치를 이해하고, 고객의 실제 요구를 파악하는 데 중요한 역할을 합니다.

데이터 기반의 의사결정

수집된 데이터와 피드백은 분석되어 의사결정 과정에 중요한 근거를 제공합니다. 이 데이터는 제품의 어떤 측면이 잘 작동하는지, 어떤 부분이 개선이 필요한지를 명확히 보여줍니다. 여기서 중요한 것은 데이터를 단순한 숫자로 보는 것이 아니라, 고객의 경험과 직접적인 연결고리를 찾아내는 것입니다.

반복적인 개선 사이클

제품 개선은 한 번의 과정이 아닌 반복적인 사이클입니다. 스타트업은 피드백을 기반으로 제품을 조정하고, 이러한 변경 사항을 다시 시장에 제시한 후 새로운 피드백을 수집합니다. 이 과정을 통해 제품은 점진적으로 개선되며, 시장과 고객의 요구에 더욱 잘 부합하게 됩니다.

지속적인 학습과 적응

제품 개선과 반복 과정은 스타트업이 시장의 변화에 민감하게 반응하고, 빠르게 적응하는 능력을 키우는 과정입니다. 이 과정을 통해 스타트업은 고객의 요구를 더 깊이 이해하고, 시장에서의 위치를 강화할 수 있습니다. 이는 단순히 제품을 개선하는 것을 넘어, 조직 전체의 학습 능력과 유연성을 향상시키는 중요한 과정입니다.

제품 개선과 반복 과정은 시장의 변화와 고객의 요구에 신속하게 대응하며, 제품을 지속적으로 개선하는 스타트업의 핵심 전략입니다. 이 과정은 제품의 성공을 넘어, 스타트업의 전체적인 성장과 성공에 근본적인 기여를 합니다. 이 챕터를 통해 스타트업이 어떻게 반복적인 개선 사이클을 통해 지속 가능한 성장을 이루어가는지를 탐구합니다.

06
스타트업의 마케팅 전략

스타트업이 시장에서 성공하기 위해서는 단순히 좋은 제품이나 서비스를 개발하는 것만으로는 부족합니다. 제품을 알리고, 고객과의 관계를 구축하며, 시장에서의 입지를 확립하기 위해 효과적인 마케팅 전략이 필수적입니다. 이 장에서는 스타트업이 마케팅의 다양한 측면을 어떻게 접근하고, 효과적으로 실행할 수 있는지를 탐구합니다.

- 효과적인 마케팅 접근 방식

스타트업 마케팅의 기초

스타트업에 있어 효과적인 마케팅은 비즈니스의 성공을 좌우하는 중요한 요소입니다. 이 과정은 명확한 목표 설정, 타겟 시장의 정확한 파악, 그리고 메시지의 강력한 전달로 시작됩니다. 마케팅 전략을 수립하기 전에, 스타트업은 자신들이 해결하고자 하는 문제, 타겟 고객이 누구인지, 그리고 고객이 자신의 제품이나 서비스를 통해 얻고자 하는 것이 무엇인지 명확히 이해해야 합니다.

타겟 시장의 이해

효과적인 마케팅의 핵심은 올바른 타겟 시장을 선택하고, 그들의 필요와 행동을 깊이 있게 이해하는 데 있습니다. 타겟 시장을 세분화하여 각 세그먼트의 특징을 파악하는 것이 중요합니다. 이를 통해 더 맞춤화된 마케팅 메시지를 개발하고, 효율적인 채널을 통해 해당 고객에게 도달할 수 있습니다.

가치 제안의 명확화

스타트업이 시장에 제시하는 가치 제안은 명확하고 강력해야 합니다. 이는 고객이 왜 당신의 제품이나 서비스를 선택해야 하는지를 분명히 하는 것을 의미합니다. 가치 제안은 고객의 문제를 해결하거나 그들의 삶을 향상시키는 방식을 명확하게 전달해야 합니다.

마케팅 메시지의 효과적 전달

효과적인 마케팅 메시지는 타겟 고객의 관심을 끌고, 그들의 감정에 호소하며, 행동을 유도해야 합니다. 이를 위해 스토리텔링, 시각적 요소, 그리고 감정적인 요소를 포함하는 것이 중요합니다. 메시지는 고객의 필요와 가치에 직접적으로 맞닿아야 하며, 간결하고 이해하기 쉬워야 합니다.

채널 전략과 실행

타겟 시장과 메시지가 정해지면, 이를 전달할 적절한 채널을 선택해야 합니다. 이메일, 소셜 미디어, 블로그, 온라인 광고 등 다양한 채널 중에서 타겟 고객이 주로 사용하는 채널에 집중하는 것이 효과적입니다. 채널 선택은 고객의 온라인 행동 패턴과 선호도를 고려하여 결정해야 합니다.

지속적인 평가와 개선

마지막으로, 마케팅 전략의 성공은 지속적인 모니터링과 평가를 통해 측정됩니다. 각 캠페인의 성과를 분석하고, 필요한 경우 전략을 조정합니다. 이는 효과적인 마케팅 접근 방식이 반드시 유연하고 적응적이어야 함을 의미합니다. 시장의 변화, 고객의 반응, 그리고 새로운 기술의 출현에 따라 마케팅 전략을 지속적으로 업데이트하고 개선하는 것이 중요합니다.

[그림] DALL-E, Prompt : An image depicting the marketing strategy of a startup. The scene illustrates a group of diverse marketing professionals gathered around a table in a modern, dynamic office setting. They are brainstorming and discussing innovative marketing ideas, with digital marketing tools, social media strategies, and consumer analytics displayed on their laptops and a large screen. The walls are adorned with creative infographics and trend charts. The atmosphere is energetic and forward-thinking, reflecting the creative and adaptive marketing strategies essential for a startup's growth.

- 스타트업을 위한 마케팅 전략

전략적 기획의 중요성

스타트업의 마케팅 전략은 목표를 설정하고, 이를 달성하기 위한 체계적인 계획을 수립하는 것에서 시작합니다. 목표는 구체적이고 측정 가능해야 하며, 비즈니스의 장기적인 비전과 연결되어야 합니다. 예를 들어, 특정 기간 내에 고객 기반을 두 배로 확장하거나, 특정 시장에서의 제품 인지도를 높이는 것 등이 목표가 될 수 있습니다. 이러한 목표는 마케팅 노력의 방향을 정하는 데 중요한 역할을 합니다.

타겟 고객과의 연결

스타트업은 마케팅 전략을 수립할 때, 타겟 고객에 대한 깊은 이해를 바탕으로 해야 합니다. 고객이 누구인지, 그들의 필요와 동기는 무엇인지, 그리고 어떤 채널을 통해 그들과 가장 효과적으로 연결될 수 있는지를 파악하는 것이 중요합니다. 이는 고객 페르소나의 개발을 통해 달성될 수 있으며, 이는 마케팅 메시지와 캠페인이 고객과 더욱 깊게 공감하도록 도와줍니다.

리소스의 효율적 배분

자원이 한정된 스타트업에게는 마케팅 예산과 인력을 효율적으로 사용하는 것이 중요합니다. 이를 위해, 다양한 마케팅 채널과 전략의 비용 대비 효과를 분석하고, 가장 효과적인 방법에 자원을 집중하는 것이 필요합니다. 예를 들어, 콘텐츠 마케팅, SEO, 소셜 미디어 마케팅은 비교적 낮은 비용으로 높은 효과를 낼 수 있는 전략입니다.

유연성과 실험

스타트업의 마케팅 전략은 유연해야 합니다. 시장의 변화, 고객의 피드백, 경쟁사의 움직임 등에 따라 전략을 빠르게 조정할 수 있는 능력이 필요합니다. 이를 위해, 마케팅 전략을 실험적인 접근으로 취급하고, 다양한 방법을 시도하며 그 효과를 지속적으로 평가하는 것이 중요합니다.

측정과 분석

마케팅 전략의 성공을 평가하고 지속적으로 개선하기 위해서는 체계적인 측정과 분석이 필수적입니다. 이는 웹사이트 방문자 수, 소셜 미디어 참여도, 전환율 등 다양한 지표를 통해 이루어집니다. 분석 결과는 마케팅 전략의 조정과 개선을 위한 근거로 활용됩니다.

- *브랜드 인지도 및 온라인 마케팅*

브랜드 인지도의 중요성

브랜드 인지도는 시장에서 스타트업의 존재감을 나타내는 중요한 요소입니다. 강력한 브랜드 인지도는 고객의 신뢰를 쌓고, 제품이나 서비스에 대한 인지를 증가시키며, 경쟁사 대비 차별화된 위치를 확립하는 데 중요한 역할을 합니다. 브랜드 인지도를 높이기 위해서는 일관된 브랜드 메시지와 이미지를 유지하는 것이 필수적입니다. 이를 통해 고객은 브랜드를 쉽게 인식하고 기억할 수 있습니다.

온라인 마케팅의 중요성

디지털 시대에서 온라인 마케팅은 브랜드를 알리고, 제품을 홍보하며, 고객과 소통하는 데 가장 효과적인 수단 중 하나입니다. 온라인 마케팅은 웹사이트 최적화, 검색 엔진 최적화(SEO), 소셜 미디어 마케팅, 이메일 캠페인, 컨텐츠 마케팅 등 다양한 전략을 포함합니다. 이러한 전략들은 브랜드의 온라인 가시성을 높이고, 잠재 고객과의 접점을 증가시키는 데 중요합니다.

웹사이트와 SEO

스타트업의 웹사이트는 종종 첫 인상을 결정짓는 중요한 접점입니다. 사용자 친화적이고, 전문적인 디자인, 명확한 메시지, 빠른 로딩 속도 등이 중요한 요소입니다. SEO는 웹사이트가 검색 엔진에서 높은 순위를 차지하도록 최적화하는 과정으로, 잠재 고객이 온라인에서 브랜드를 쉽게 찾을 수 있도록 도와줍니다.

소셜 미디어 마케팅

소셜 미디어는 브랜드 인지도를 빠르게 높일 수 있는 강력한 플랫폼입니다. 각 소셜 미디어 채널의 특성에 맞는 콘텐츠를 제작하고, 정기적으로 게시함으로써 브랜드의 메시지를 널리 전파할 수 있습니다. 또한, 소셜 미디어는 고객과 직접적으로 소통하고 피드백을 받을 수 있는 기회를 제공합니다.

콘텐츠 마케팅

품질 높은 콘텐츠는 브랜드 인지도를 높이는 데 중요한 역할을 합니다. 블로그 게시물, 인포그래픽, 비디오, 팟캐스트 등 다양한 형태의 콘텐츠를 통해 브랜드의 전문성을 보여주고, 고객과의 관계를 강화할 수 있습니다. 고객에게 가치를 제공하는 콘텐츠는 브랜드에 대한 긍정적인 인상을 남기고, 장기적인 고객 충성도를 높이는 데 기여합니다.

지속적인 모니터링과 최적화

온라인 마케팅은 지속적인 모니터링과 최적화가 필요합니다. 웹사이트 트래픽, 소셜 미디어 참여도, SEO 순위 등의 지표를 분석하여 마케팅 전략의 효과를 평가하고 필요한 조정을 합니다. 이 과정은 온라인 마케팅 전략을 지속적으로 개선하고, 브랜드의 온라인 존재감을 강화하는 데 중요한 역할을 합니다.

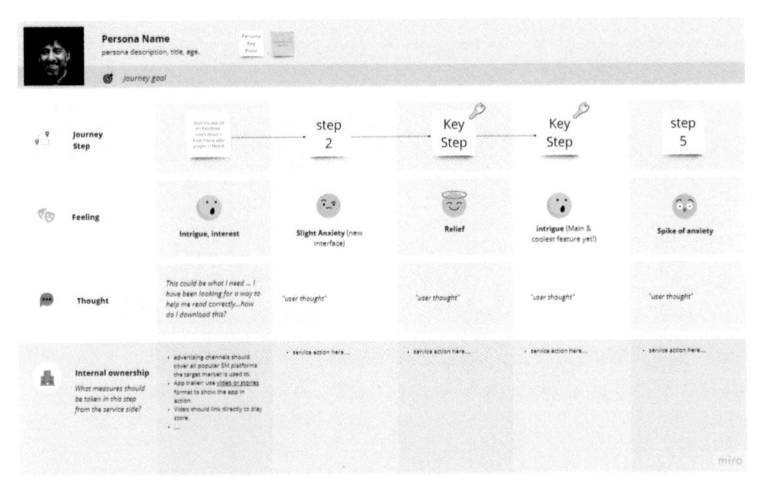

[그림] 고객여정지도 (출처 : miro.com)

- *디지털 마케팅과 소셜 미디어 활용*

디지털 마케팅의 전략적 접근

디지털 마케팅은 스타트업이 시장에서 경쟁력을 갖추고 성장할 수 있도록 하는 핵심 요소입니다. 이 접근법은 타겟 고객에게 도달하고, 브랜드 인지도를 높이며, 고객 참여를 증진시키는 데 중요한 역할을 합니다. 디지털 마케팅은 검색 엔진 최적화(SEO), 콘텐츠 마케팅, 이메일 마케팅, 페이드 미디어, 그리고 소셜 미디어 전략 등 다양한 채널을 포함합니다. 이러한 전략들은 서로 상호작용하며, 각각의 채널이 강점을 발휘할 수 있도록 하는 것이 중요합니다.

소셜 미디어의 효과적 활용

소셜 미디어는 스타트업에게 저렴한 비용으로 넓은 대상에게 도달할 수 있는 강력한 도구입니다. 각기 다른 소셜 미디어 플랫폼은 고유의 특성과 타겟 오디언스를 가지고 있으므로, 이를 이해하고 플랫폼별로 맞춤형 전략을 개발하는 것이 중요합니다. 예를 들어, 인스타그램은 시각적 콘텐츠에 강점을 가지고 있으며, 페이스북은 다양한 연령대의 사용자들과 소통할 수 있는 플랫폼입니다.

콘텐츠 마케팅과 스토리텔링

디지털 마케팅에서 콘텐츠는 왕이라고 할 수 있습니다. 풍부하고 매력적인 콘텐츠를 통해 브랜드 스토리를 전달하고, 고객과의 감정적 연결을 구축합니다. 이는 블로그 게시물, 인포그래픽, 비디오, 팟캐스트 등 다양한 형태로 이루어질 수 있습니다. 각 콘텐츠는 타겟 고객의 관심사와 필요에 부합해야 하며, 브랜드의 핵심 가치와 일관되게 통합되어야 합니다.

인게이지먼트와 커뮤니티 구축

소셜 미디어 마케팅의 핵심은 단순히 메시지를 전달하는 것이 아니라, 고객과의 상호작용과 인게이지먼트를 촉진하는 것입니다. 고객의 댓글에 적극적으로 응답하고, 피드백을 받아들이며, 사용자 생성 콘텐츠를 장려하는 것이 중요합니다. 이는 브랜드에 대한 고객의 충성도를 높이고, 커뮤니티의 느낌을 조성하여 장기적인 관계를 구축하는 데 기여합니다.

분석과 최적화

모든 디지털 마케팅 활동은 분석과 최적화를 통해 지속적으로 개선되어야 합니다. 웹사이트 트래픽, 소셜 미디어 참여도, 전환율 등의 지표를 모니터링하고, 이 데이터를 바탕으로 마케팅 전략을 조정합니다. 또한, A/B 테스팅 등을 통해 다양한 접근 방식의 효과를 실험하고, 가장 효과적인 방법을 찾아내는 것이 중요합니다.

07
팀 구축과 조직문화

- *효과적인 팀 빌딩 전략*

팀 빌딩의 기본 원칙

팀 빌딩은 스타트업의 성공에 필수적인 요소입니다. 효과적인 팀을 구축하기 위해서는 먼저 각 구성원의 강점, 약점, 성향 및 전문성을 이해하고 존중하는 문화를 형성해야 합니다. 이는 팀원 간의 신뢰를 구축하고, 각자의 장점을 최대한 활용할 수 있는 기반을 마련합니다.

다양성과 포용성

다양한 배경과 전문성을 가진 팀원들을 모으는 것은 스타트업에 새로운 아이디어와 관점을 가져다 줍니다. 성별, 나이, 문화, 전문 분야 등 다양한 차원에서의 다양성은 팀의 창의성과 혁신을 촉진합니다. 포용적인 환경을 조성하면 팀원들은 자신의 의견을 자유롭게 표현하고, 서로의 아이디어를 더욱 존중하게 됩니다.

팀 구성원 선택

팀 구성원을 선정할 때는 기술적 능력뿐만 아니라, 팀과의 문화적 적합성도 중요하게 고려해야 합니다. 구성원들이 팀의 비전과 가치에 공감하고, 서로 협력할 수 있는 능력을 갖추고 있는지 평가합니다. 이는 장기적인 팀의 안정성과 성과에 기여합니다.

상호작용과 협업 증진

팀원들 간의 효과적인 상호작용은 중요한 성공 요소입니다. 정기적인 미팅, 워크숍, 팀 빌딩 활동을 통해 팀원들이 서로를 더 잘 이해하고, 강력한 협업 관계를 형성할 수 있도록 합니다. 또한, 공개적인 커뮤니케이션 채널을 통해 팀원들이 자유롭게 아이디어를 공유하고 피드백을 주고받을 수 있게 합니다.

갈등 관리

팀 내 갈등은 불가피하게 발생하지만, 이를 효과적으로 관리하는 것이 중요합니다. 갈등 상황에서는 투명한 커뮤니케이션과 공정한 문제 해결 과정이 필요합니다. 갈등을 긍정적으로 해결하는 것은 팀의 신뢰와 결속력을 강화시키는 기회가 될 수 있습니다.

목표 설정과 동기 부여

공유된 목표와 비전은 팀원들을 하나로 묶는 데 중요한 역할을 합니다. 팀의 목표를 명확히 하고, 각 팀원의 역할과 기여 방식을 정의합니다. 팀원들이 목표 달성에 필요한 자원과 지원을 받고, 성취에 대해 인정받을 때 동기 부여가 증진됩니다.

[그림] DALL-E, Prompt : An image illustrating the team building and organizational culture of a startup. The scene shows a diverse group of professionals in a modern, open-plan office environment. They are collaboratively working around a large table, filled with laptops, notes, and creative brainstorming materials. Some team members are engaged in a lively discussion, while others are focused on their work, highlighting the dynamic and inclusive nature of the startup culture. The office space is vibrant and innovative, with motivational posters and a comfortable, casual atmosphere that fosters creativity and teamwork.

- *효과적인 팀 빌딩 전략*

팀 구성의 중요성

스타트업의 성공을 위해서는 각각의 팀 구성원이 명확하고 구체적인 역할을 가지고 있어야 합니다. 팀 구성 시, 각 구성원의 전문성, 기술, 경험, 그리고 개성을 고려하는 것이 중요합니다. 이를 통해 각자의 장점을 최대한 활용하고, 팀 전체의 시너지를 창출할 수 있습니다.

역할 분담의 기준

역할 분담은 팀원들의 전문성과 열정, 그리고 스타트업의 필요사항을 고려하여 이루어져야 합니다. 각 팀원에게 적합한 역할을 부여함으로써, 그들의 잠재력을 최대한 발휘할 수 있도록 합니다. 이 과정에서 각 팀원의 경력 목표와 개인적인 성장도 고려하는 것이 중요합니다.

역할과 책임의 명확화

팀 구성원 각자에게 주어진 역할과 책임을 명확하게 정의하고, 이에 대한 이해를 돕는 것이 중요합니다. 이는 각 팀원이 자신의 역할 내에서 무엇을 해야 하는지, 그리고 팀 내에서 어떻게 기여할 수 있는지를 분명히 합니다. 이를 통해 팀원들은 자신의 역할에 대해 명확한 방향성을 가지고 작업에 임할 수 있습니다.

효과적인 커뮤니케이션

역할 분담과 관련하여, 효과적인 커뮤니케이션은 필수적입니다. 팀원들 간의 열린 소통 채널을 마련하고, 정기적인 미팅과 피드백 세션을 통해 지속적으로 의견을 교환합니다. 이는 역할과 책임에 대한 이해를 깊게 하고, 잠재적인 오해나 갈등을 최소화하는 데 도움이 됩니다.

역할의 유연성

스타트업 환경은 빠르게 변화하므로, 역할과 책임도 유연하게 조정될 필요가 있습니다. 시장의 변화나 사업 전략의 수정에 따라 팀원들의 역할을 재조정하고, 새로운 기술이나 기능을 학습할 기회를 제공합니다. 이는 팀원들이 다양한 상황에 적응하고, 전반적인 팀의 유연성을 강화하는 데 중요합니다.

성과와 개인의 성장

각 팀원의 역할 분담은 그들의 성과와 개인적인 성장을 촉진해야 합니다. 팀원들이 자신의 역할에서 성과를 내고, 동시에 전문성을 발전시킬 수 있도록 지원하는 것이 중요합니다. 이는 장기적인 팀의 성공과 구성원들의 만족도를 높이는 데 기여합니다.

- 조직 문화의 중요성과 구축 방법

조직 문화의 중요성

조직 문화는 스타트업의 성격을 정의하고, 그것이 어떻게 작동하는지에 대한 기본적인 규칙과 가치를 설정합니다. 강력한 조직 문화는 직원들의 몰입도와 만족도를 높이고, 팀워크를 강화하며, 회사의 전반적인 성과에 긍정적인 영향을 미칩니다. 건강한 조직 문화는 또한 재능 있는 직원들을 유치하고 유지하는 데 중요한 역할을 합니다.

문화의 구축

비전과 가치 설정: 조직의 비전과 핵심 가치를 명확히 정의하고, 이를 모든 직원이 공유하도록 합니다. 이러한 비전과 가치는 의사 결정 과정과 일상적인 작업에서 지침이 되어야 합니다.

리더의 역할: 리더들은 조직 문화를 형성하고 강화하는 데 중요한 역할을 합니다. 리더들이 모범을 보이며, 정의된 가치와 행동 규범을 실천할 때, 직원들도 이를 따르게 됩니다.

커뮤니케이션과 개방성: 투명하고 개방적인 커뮤니케이션은 신뢰를 구축하고, 직원들이 자신의 의견을 자유롭게 표현하도록 장려합니다. 이를 위해 정기적인 회의, 피드백 세션, 그리고 비공식적인 소통의 기회를 마련합니다.

행동 규범 설정: 조직의 가치와 일치하는 행동 규범을 설정하고, 이를 실천하는 것이 중요합니다. 이 규범은 공정하고 일관되게 적용되어야 하며, 모든 직원에게 명확해야 합니다.

인정과 보상: 긍정적인 행동과 성과를 인정하고 보상함으로써, 원하는 문화를 강화할 수 있습니다. 이는 직원들이 가치와 행동 규범에 부합하는 방식으로 행동하도록 동기를 부여합니다.

지속적인 평가와 개선: 조직 문화는 지속적으로 평가하고 필요에 따라 개선해야 합니다. 직원 설문조사, 피드백, 그리고 성과 데이터를 활용하여 조직 문화의 효과와 영향을 분석합니다.

조직 문화의 유지

문화를 유지하기 위해서는 지속적인 노력과 관심이 필요합니다. 조직의 성장과 변화에 따라 문화도 발전해야 하며, 새로운 직원들이 문화에 잘 적응할 수 있도록 지원하는 시스템을 마련해야 합니다.

- 리더십과 창업가의 역할

리더십의 중요성

스타트업에서 리더십은 팀의 방향성, 동기 부여, 그리고 조직 문화 형성에 결정적인 역할을 합니다. 창업가의 리더십은 조직의 성공을 위한 비전을 설정하고, 팀을 이끌어가는 동시에, 기업의 가치와 신념을 반영해야 합니다. 효과적인 리더는 명확한 목표를 설정하고, 팀을 올바른 방향으로 이끌며, 직원들을 동기부여하고 그들의 성장을 지원합니다.

창업가의 역할

창업가는 리더로서 다음과 같은 역할을 수행합니다:

비전 설정: 창업가는 회사의 장기적인 비전을 설정하고 이를 팀에 명확히 전달합니다. 이 비전은 회사의 목표, 성장 방향, 그리고 조직의 핵심 가치를 반영해야 합니다.

문화 형성: 조직 문화는 리더의 행동과 태도에 의해 크게 영향을 받습니다. 창업가는 모범적인 행동으로 조직 문화를 구축하고 강화하는 역할을 합니다.

팀 빌딩과 관리: 효과적인 팀을 구축하고 관리하는 것은 창업가의 중요한 책임입니다. 이는 적절한 인재를 채용하고, 그들의 장점을 활용하며, 팀 간의 협력을 촉진하는 것을 포함

합니다.

의사소통: 창업가는 팀과의 투명하고 효과적인 의사소통을 유지해야 합니다. 이는 명확한 지침, 피드백, 그리고 팀원들의 의견을 경청하는 것을 포함합니다.

위기 관리: 스타트업은 불확실성과 변화가 많은 환경에서 운영됩니다. 창업가는 위기 상황에서 침착하게 대응하고, 팀을 안정시키며, 문제 해결에 필요한 조치를 취해야 합니다.

자기 성찰과 개발: 지속적인 자기 성찰과 개인적인 발전은 리더로서의 효과성을 높이는 데 필수적입니다. 창업가는 자신의 리더십 스타일을 평가하고, 필요한 경우 개선하기 위한 노력을 해야 합니다.

- 창업가의 리더십 스킬

리더십 스킬의 중요성

창업가로서의 성공은 단순히 좋은 아이디어나 사업 기획에만 의존하지 않습니다. 효과적인 리더십 스킬은 팀을 올바른 방향으로 이끌고, 직원들을 동기부여하며, 조직의 비전을 현실로 전환하는 데 중요합니다. 창업가는 다양한 상황에서 팀을 지원하고, 영감을 주며, 위기를 관리할 수 있는 능력이 필요합니다.

주요 리더십 스킬

비전 설정과 공유: 창업가는 회사의 명확한 비전을 설정하고 이를 팀과 공유해야 합니다. 이는 팀이 목표를 향해 일관되게 나아갈 수 있도록 하는 기준점을 제공합니다.

의사소통 능력: 효과적인 의사소통은 리더십의 핵심입니다. 창업가는 자신의 생각과 계획을 명확하고, 설득력 있게 전달할 수 있어야 합니다. 또한, 팀원들의 의견을 경청하고 이해하는 것도 중요합니다.

갈등 해결 능력: 팀 내외부에서 발생하는 갈등을 효과적으로 해결할 수 있는 능력이 필요합니다. 이는 문제를 신속하고 공정하게 해결하고, 팀의 조화를 유지하는 데 중요합니다.

동기 부여: 직원들이 최선을 다할 수 있도록 동기를 부여하는 것은 리더의 중요한 역할입니다. 이는 개인적인 인정, 직무 만족, 그리고 성장 기회를 제공함으로써 달성할 수 있습니다.

결정력: 창업가는 때로는 빠르고 효과적인 결정을 내려야 합니다. 이는 위험 평가와 기회 인식을 바탕으로 합리적이고 과감한 결정을 내리는 능력을 필요로 합니다.

유연성과 적응력: 시장과 사업 환경의 변화에 유연하게 적응하고, 필요에 따라 전략을 조정할 수 있는 유연성이 중요합니다.

자기 인식과 개발: 자신의 강점과 약점을 인식하고, 지속적으로 개인적, 전문적인 성장을 추구하는 것도 중요합니다. 이는 자기 평가와 피드백을 통해 이루어질 수 있습니다.

- 팀 관리와 성과 증진

팀 관리의 중요성

스타트업의 성공은 팀 관리의 효과성에 크게 의존합니다. 팀 관리는 구성원들의 역량을 최대한 활용하고, 그들의 동기를 부여하며, 목표 달성을 위한 환경을 조성하는 과정입니다. 성과 증진은 팀 관리의 핵심 목표 중 하나로, 구성원들이 개인적이고 조직적인 목표를 효과적으로 달성할 수 있도록 지원합니다.

성과 증진을 위한 전략

명확한 목표 설정: 팀의 목표는 구체적이고, 측정 가능하며, 달성 가능해야 합니다. 각 팀원은 자신의 역할과 목표가 조

직의 전반적인 목표와 어떻게 연결되는지 이해해야 합니다.

팀원 간의 협력 촉진: 팀원들이 서로 협력하고, 지식과 기술을 공유할 수 있는 환경을 조성합니다. 협력은 팀의 전체적인 성과를 향상시키는 데 중요한 역할을 합니다.

지속적인 피드백과 커뮤니케이션: 정기적인 피드백과 효과적인 커뮤니케이션은 팀원들의 성장과 성과 증진에 필수적입니다. 이를 통해 팀원들은 자신의 진행 상황을 이해하고 필요한 개선을 할 수 있습니다.

동기 부여와 인정: 팀원들의 노력과 성취를 인정하고, 적절한 보상과 인센티브를 제공합니다. 이는 팀원들의 동기를 부여하고, 높은 성과를 유지하는 데 도움이 됩니다.

성과 관리 도구의 활용: 성과를 추적하고 관리하기 위한 도구와 시스템을 활용합니다. 이는 목표 달성을 위한 진행 상황을 모니터링하고, 필요한 조정을 신속하게 할 수 있도록 돕습니다.

개인적 및 전문적 성장 지원: 팀원들이 자신의 역량을 발전시킬 수 있도록 교육과 발전 기회를 제공합니다. 이는 팀원들의 만족도를 높이고, 장기적으로 팀의 성과에 긍정적인 영향을 미칩니다.

효과적인 팀 관리의 결과

효과적인 팀 관리는 높은 성과, 개선된 직원 만족도, 강화된 팀워크, 그리고 조직의 전반적인 성공으로 이어집니다. 팀 관리와 성과 증진은 지속적인 과정으로, 팀과 조직의 필요에 따라 조정되어야 합니다.

08
스타트업 창업,
인생을 변화시키는 여정

창업을 통한 자기 발견과 성장

스타트업 창업은 단순히 비즈니스를 시작하는 것 이상의 의미를 갖습니다. 이 여정은 창업가 개인의 근본적인 자기 발견과 성장의 과정이기도 합니다. 창업 과정에서 당면하는 도전과 성공은 창업가로 하여금 자신의 강점, 약점, 열정, 그리고 가치를 더 깊이 이해하게 만듭니다. 매 순간, 창업가는 새로운 상황에 직면하며, 이를 통해 끊임없이 학습하고, 적응하며, 성장합니다.

창업은 자기 자신을 시험하는 과정이기도 합니다. 이 여정에서 창업가는 리더십, 의사결정, 위기 관리, 갈등 해결 등 여러 기술을 개발하고 강화합니다. 이러한 기술은 개인적인 삶뿐만 아니라 전문적인 영역에서도 창업가를 더 강력한 인물로 만듭니다.

미래 창업가들에게 전하는 조언

위험 감수와 실패 수용: 창업은 위험을 감수하고 실패를 받아들이는 과정을 포함합니다. 실패는 성공으로 가는 길에서 필수적인 학습 기회입니다. 실패로부터 얻은 교훈은 창업가를 더 지혜롭고 강하게 만듭니다.

유연성과 적응성: 시장과 기술은 끊임없이 변화합니다. 이에 유연하게 적응하고 전략을 조정할 수 있는 능력은 창업가에게 필수적입니다. 유연성은 창업가가 끊임없이 변화하는 비즈니스 환경에서 생존하고 번영할 수 있게 해줍니다.

지속적인 학습과 개방성: 창업은 끊임없는 학습 과정입니다. 시장 동향, 새로운 기술, 경쟁사의 움직임에 대한 지식은 중요한 자산이 됩니다. 마음을 열고 새로운 아이디어와 접근 방식을 받아들이는 것은 창업의 성공을 위해 중요합니다.

네트워킹과 관계 구축: 다른 창업가들, 멘토, 투자자와의 강력한 네트워크는 창업 과정에서 큰 지원이 됩니다. 이러한 관계는 조언, 피드백, 자원 공유 등 다양한 형태로 창업가를 지원합니다.

자신의 건강과 웰빙 챙기기: 창업가로서의 여정은 스트레스가 많고 강도 높은 일이 될 수 있습니다. 따라서 정신적, 육체적 건강을 유지하는 것은 장기적인 성공을 위해 중요합니다. 균형 잡힌 생활, 적절한 휴식, 그리고 건강한 습관을 유지하는 것이 필수적입니다.

창업은 인생을 변화시키는 여정입니다. 이 경험은 창업가에게 많은 것을 가르치며, 개인적으로나 전문적으로 큰 성장을 가져다 줍니다. 이 챕터는 미래의 창업가들에게 필요한 지혜와 조언을 제공하며, 이들이 자신의 창업 여정을 시작하는데 도움을 줍니다. 창업은 단순히 사업을 시작하는 것이 아니라, 새로운 가능성을 향한 도전이며, 삶을 풍부하게 만드는 모험입니다.

인생에서 한 번은 창업에 도전하라

인생에서 한 번쯤은 창업의 길을 걸어보는 것을 두려워하지 마십시오. 창업은 단순히 사업을 만들어가는 과정이 아닙니다. 그것은 자신을 발견하고, 능력을 시험하며, 꿈을 현실로 만드는 여정입니다. 이 경험은 여러분에게 새로운 시각을 제공하고, 생각하지 못했던 기회를 열어줄 것입니다.

창업은 도전이며, 때로는 어려움과 실패로 가득 찰 수도 있습니다. 하지만, 이러한 도전을 통해 얻는 것은 측정할 수 없을 만큼 귀중합니다. 여러분은 새로운 스킬을 습득하고, 극복할 수 없어 보이는 장애물을 넘어서는 법을 배우며, 자신의 잠재력을 최대한 발휘할 수 있습니다.

창업의 여정은 여러분을 더욱 강하고 지혜로운 사람으로 만들 것입니다. 그 과정에서 자신의 가치와 능력을 증명하고, 무엇이 진정으로 중요한지를 깨닫게 됩니다. 이 모험은 여러분이 상상한 것 이상의 성취감과 만족을 가져다줄 것입니다.

그러니, 꿈을 품고, 열정을 가지고, 두려움을 넘어 창업의 여정에 도전하세요. 인생에서 한 번은 반드시 창업을 경험해 보십시오. 그 여정이 여러분의 삶을 풍요롭게 하고, 새로운 가능성의 문을 열어줄 것입니다. 여러분의 창업 여정이 무엇이든, 그것은 분명 가치 있는 경험이 될 것입니다.

[그림] DALL-E, Prompt : An inspiring image depicting the journey of entrepreneurship. The scene shows a diverse group of people, each representing different stages of starting a business. One person is dreaming, surrounded by thought bubbles filled with innovative ideas. Another person, full of passion, is actively working on a laptop, surrounded by charts and business plans. A third person is overcoming obstacles, symbolized by hurdles, showing determination and resilience. In the background, a bright horizon symbolizes new opportunities and possibilities. The overall atmosphere is uplifting and motivational, encouraging viewers to embark on their own entrepreneurial journey.